Spiri

di Osho

nella collezione Oscar

*L'ABC del risveglio*
*Alleggerire l'anima*
*L'amore nel Tantra*
*Aprirsi alla vita*
*L'arte del mutamento*
*L'arte di ricrearsi*
*Il benessere emotivo*
*Il Canto della Meditazione*
*La canzone della vita*
*Che cos'è la meditazione*
*Con te e senza di te*
*Il gioco delle emozioni*
*L'immortalità dell'anima*
*Innamorarsi dell'amore*
*Liberi di essere*
*Il lungo, il corto, il nulla*
*I Maestri raccontano*
*Il miracolo più grande*
*I misteri della vita*
*Orme sulle rive dell'ignoto*
*Ricominciare da sé*
*La verità che cura*
*Una vertigine chiamata vita*
*La via del cuore*
*La voce del mistero*
*Yoga della comprensione interiore*
*Yoga: il respiro dell'infinito*
*Yoga: la scienza dell'anima*
*Yoga per il corpo, la mente, lo spirito*
*Yoga: potenza e libertà*

Osho

# RICOMINCIARE DA SÉ

Traduzione di
Ma Anand Vidya e Swami Anand Videha

OSCAR MONDADORI

© 2000 Osho International Foundation
© 2002 News Services Corporation
per l'edizione italiana
Titolo originale dell'opera: *The Inner Journey*
© 2004 Arnoldo Mondadori Editore S.p.A., Milano

**OSHO**® è un marchio registrato di proprietà
della Osho International Foundation usato su licenza/concessione.

I edizione Arcobaleno gennaio 2004
I edizione Oscar varia marzo 2005
I edizione Oscar spiritualità gennaio 2009

ISBN 978-88-04-58666-1

Questo volume è stato stampato
presso Mondadori Printing S.p.A.
Stabilimento NSM - Cles (TN)
Stampato in Italia. Printed in Italy

www.osho.com

Anno 2012 - Ristampa 12 13 14

THAILAND, 2014-01
泰国

# Ricominciare da sé

# Introduzione

Ricordo un incidente accaduto nella mia adolescenza. Era venuto a farci visita Chandubhai, un amico di mio padre. Era un ricercatore molto tranquillo e contemplativo, noi tutti nutrivamo per lui il rispetto che si ha per un santo, sebbene altra gente non la pensasse come noi, perché era proprietario di una casa e non indossava la tunica di chi rinuncia. Quel giorno, mentre gli porgevo una tazza di tè, la tazza scivolò dalle mie mani, cadde e si ruppe. Chandubhai, con un sorriso semplice e naturale, mi disse: «Non importa, dev'essere stato un momento di disattenzione dovuto a una perdita di equilibrio». Recepii le sue parole come se mi fosse piovuto tra le mani un *sutra* – una di quelle chiavi preziose per vivere – sebbene per me allora non fosse proprio una massima di saggezza, visto che il mio intelletto non era ancora tanto maturo da afferrarne tutto il significato. Quando arrivai all'età in cui avrei potuto comprendere qualcosa, Chandubhai era morto.

Allora accadde un altro fatto importante per me. A Jodhpur, proprio vicino a casa nostra, viveva un'anziana vedova, Jamnabai.

Stava invecchiando, il bianco dei suoi capelli era abbagliante e il suo volto era luminoso e irradiava una pace che conquistava. Possedeva una bufala, una sola, e la sua unica fonte di guadagno proveniva dalla vendita del latte e del *ghee*. Non aveva cultura, ma mio padre diceva: «Se qualcuno volesse conoscere il *Vedanta*, la vera sapienza e il modo per praticarla nella vita, dovrebbe apprenderli da Jamnabai».

Un giorno, dopo aver strigliato e lavato la bufala, Jamnabai la stava riportando a casa: in una mano teneva la corda, cui era legato l'animale, con l'altra sosteneva un secchio colmo d'acqua appoggiato sull'anca e sulla testa aveva in bilico uno sull'altro tre recipienti, di misure decrescenti, anch'essi colmi d'acqua.

In quel mentre dalla direzione opposta stava arrivando Rambaba, che cantava come sempre a gran voce: «Rama, Rama, Rama». Jamnabai lo salutò con un cenno del capo e Rambaba cominciò a dire: «Jamnabai, stai proprio sprecando la tua vita, impegnata solo nella cura della bufala. Dovresti anche occuparti un po' del mondo soprannaturale. Perché non canti anche tu come me: "Rama, Rama, Rama"?».

La risposta che Jamnabai gli diede mi lasciò stupefatto. Disse: «Rambaba, vedi questi tre recipienti colmi d'acqua sulla mia testa? Mentre ti salutavo, tutta la mia consapevolezza era focalizzata su di essi affinché non perdessero l'equilibrio e non traboccassero. Allo stesso modo, per tutto il giorno mi occupo dei lavori domestici nella mia casa, ma rimango costantemente focalizzata sul divino».

Sentii che in quel momento mi veniva rivelata una parte ulteriore del significato di quel *sutra* che mi era piovuto tra le mani quando avevo lasciato cadere la tazza da tè.

Più tardi, su incoraggiamento del Mahatma Gandhi, cominciai a tradurre in hindi il famoso libro *Il Profeta* del grande poeta e filosofo libanese Kahlil Gibran.

Mentre traducevo i capitoli che trattano dell'amore e del lavoro, sentii che quel *sutra* stava entrando in me un po' più in profondità.

Fu allora che penetrarono nel mio cuore un anelito e un'irrequietezza: volevo completare la comprensione di quel *sutra*, ma non ebbi più l'opportunità di comprendere la parte mancante. Trascorsero trent'anni.

Un giorno stavo seduto in compagnia del mio carissimo amico Mahipal quando, durante la nostra conversazione, egli nominò Osho e mi mise tra le mani alcuni suoi libri. Leggendoli, ebbi la sensazione di aver trovato un nuovo raggio di luce.

Una nuova porta si era aperta davanti a me; sentivo che qui potevo completare la comprensione di quel *sutra*, che avevo ricercato per tanti anni. E accadde: proprio nel primo capitolo di questo libro di Osho mi sono trovato tra le mani l'intero *sutra*.

«E la stessa legge che si applica alla vina, vale anche per la vina della vita. Se le corde della vita sono troppo allentate, la musica non può scaturire; ma anche se le corde della vita sono troppo tese, la musica non può nascere. Colui che vuole creare la musica della vita prima deve controllare che le sue corde non siano né troppo tese né troppo allentate.»

E subito dopo Osho avanza la domanda: «*Dov'è questa vina della vita?*».

«La vina della vita non è altro che il corpo umano, e nel corpo umano esistono corde che non devono essere troppo tese né troppo allentate. Solo nell'equilibrio di queste corde l'uomo entra nella musica della vita. Conoscere questa musica significa conoscere l'anima.

«Quando un uomo arriva a conoscere la propria musica interiore, in se stesso, conosce l'anima; e quando arriva a conoscere la musica nascosta nel Tutto, conosce il divino.»

Questo *sutra* di Osho è come una formula matematica consolidata che, se applicata in modo corretto, fornisce la risposta esatta perfino ai problemi più complessi della vita.

Ogni capitolo di questo libro non fa che aprire in noi una porta dopo l'altra, portandoci a penetrare sempre più in profondità nel nostro essere. Il viaggio inizia con la ricerca di se stessi e termina con il raggiungimento dell'amore, del divino.

Secondo me, il pensiero rivoluzionario di Osho è simile al pensiero dei saggi delle *Upanishad* che cercavano di svelare i misteri dell'esistenza, è simile al pensiero di Socrate che insegnava alle moltitudini come usare attentamente l'intelligenza, è simile al pensiero di Lao Tzu che ci suggeriva di lasciar cadere tutte le apparenze esteriori e di tornare alla nostra vera natura.

*Kishori Raman Tandon*

Mumbai, India

*Primo discorso*

# Il corpo: il primo passo

Amici carissimi,

nel nostro primo incontro di questo Campo di Meditazione, vorrei parlarvi del primo passo per un meditatore, per un ricercatore. Qual è questo primo passo? Un pensatore o un amante seguono determinati percorsi, viceversa un ricercatore del vero deve compiere un viaggio totalmente diverso. Qual è dunque il primo passo del viaggio di un ricercatore della verità?

Il corpo è il primo passo per chi voglia ricercare il vero; ma nessuno ha mai dedicato al corpo né pensieri, né attenzione. Il corpo è sempre stato trascurato, non solo in certe epoche, ma per migliaia di anni. Questa trascuratezza è di due tipi. Innanzitutto, ci sono coloro che indulgono nei piaceri e che trascurano il benessere del corpo.

Le loro esperienze di vita si riducono a mangiare, bere e abbigliarsi. Costoro hanno trascurato il corpo, ne hanno fatto un cattivo uso, abusandone, lo hanno sprecato nelle maniere più folli; hanno guastato irrimediabilmente il loro strumento, la loro vina.

Se uno strumento musicale – per esempio una vina – è guasto, non ne può scaturire alcuna musica. La musica è qualcosa di totalmente diverso dalla vina – la musica è una cosa e la vina un'altra – ma senza la vina, la musica non può scaturire.

Coloro che hanno abusato del corpo indulgendo nei piaceri materiali appartengono alla prima categoria di devastatori; l'altra comprende coloro che hanno trascurato il corpo per dedicarsi allo yoga e alla rinuncia. Costoro hanno torturato il corpo, lo hanno represso e hanno nutrito un'estrema ostilità nei suoi confronti.

Né coloro che indulgevano nei piaceri materiali, né gli asceti che torturavano il corpo hanno mai compreso la sua importanza. Dunque, esistono due tipi di trascuratezza e di tortura della vina che è il corpo umano: il primo portato avanti dai crapuloni e il secondo dagli asceti. Entrambi hanno deteriorato e danneggiato seriamente il corpo.

In Occidente il corpo è stato deteriorato in un modo e in Oriente in un altro, ma noi tutti partecipiamo in ugual misura alla sua distruzione. Coloro che frequentano i bordelli e le osterie deteriorano il corpo in un modo, e coloro che stanno nudi sotto il Sole cocente, o che scappano nelle foreste per isolarsi dal mondo, deteriorano il corpo in un altro modo.

Solo dalla vina del corpo può scaturire la musica della vita. La musica della vita è qualcosa di diverso dal corpo – è una cosa totalmente diversa, è qualcos'altro in senso assoluto – ma solo attraverso la vina del corpo esiste la possibilità di realizzarla. Eppure, ancora non è stata prestata la dovuta attenzione a questa realtà.

Il primo passo è il corpo e la dovuta attenzione del meditatore nei suoi confronti. In questo nostro primo incontro, voglio parlarvi di questo argomento.

Occorre comprendere alcune cose. La prima: l'anima ha alcune connessioni con il corpo in determinati centri e la nostra energia vitale proviene da queste connessioni. L'anima è in stretta relazione con questi centri, dai quali l'energia vitale fluisce nel corpo.

Il ricercatore che non è consapevole dell'esistenza di questi centri non sarà mai in grado di entrare in contatto con la propria anima. Se vi chiedessi qual è il centro più importante, qual è il punto più importante nel vostro corpo, voi probabilmente rispondereste che è la testa.

Una cultura estremamente fallace ha convinto l'uomo che la testa è la parte più importante. La testa – ossia il cervello – non è affatto il centro più importante dell'energia vitale nell'uomo. Sarebbe come chiedere a un albero qual è la sua parte più importante, la più vitale, e poiché i fiori sono visibili sui rami, l'albero o chiunque altro risponderebbe che essi sono la sua parte più importante. Sebbene i fiori sembrino esserlo, non lo sono: le radici, che non sono visibili, sono la parte più importante dell'albero.

La mente è il fiore dell'albero/uomo, non è la sua radice. Le radici sono al primo posto e i fiori all'ultimo. Se trascuriamo le radici, i fiori appassiscono poiché non hanno una propria vita separata. Se ci prendiamo cura delle radici, curiamo automaticamente anche i fiori, che non hanno bisogno di attenzioni particolari. Osservando un albero, sembra che i fiori siano la parte più importante; allo stesso modo, osservando un uomo sembra che la mente sia la sua parte più importante: di fatto, la mente è lo sviluppo finale del corpo umano e non la sua radice.

Mao Zedong ha narrato un ricordo della sua infanzia. Ha scritto: «Quando ero bambino, la modesta abitazione di mia madre era circondata da un giardino meraviglioso. Il giardino era talmente bello e ricco di fiori che la gente veniva da lontano per ammirarlo. Un giorno mia madre, ormai anziana, si ammalò; ma non si preoccupava né della sua malattia, né della sua vecchiaia. La sua unica preoccupazione era che cosa sarebbe accaduto al suo giardino».

Mao era giovane. Disse a sua madre: «Non preoccuparti, me ne prenderò cura io». E se ne prese cura, lavorandoci dal mattino alla sera.

Dopo un mese, lo stato di salute della madre migliorò e, non appena fu in grado di camminare, andò a vedere il giardino. Rimase allibita: era in condizioni disastrose! Tutte le piante erano seccate, tutti i fiori erano appassiti e caduti a terra. Sconvolta, chiese al figlio: «Ma come! Stavi in giardino tutto il giorno! Che cosa facevi? Tutti i fiori sono caduti. Tutto il giardino è appassito. Tutte le piante stanno morendo. Ebbene, che cosa facevi in giardino tutto il santo giorno?».

Mao scoppiò a piangere. Anche lui era turbato. Aveva lavorato in giardino ogni giorno dal mattino alla sera, ma inspiegabilmente tutto si era progressivamente seccato. Piangendo disse: «Mi sono preso cura del giardino con tutto me stesso. Baciavo ogni fiore e lo amavo. Pulivo e spolveravo ogni foglia, non so proprio che cosa possa essere accaduto! Anch'io ero preoccupato, ma i fiori appassivano e le foglie seccavano e via via tutto il giardino moriva sotto i miei occhi!».

Sua madre, con più calma, gli disse: «Ancora non hai capito che la vita dei fiori non è nei fiori e che la vita delle foglie non è nelle foglie!».

La vita di una pianta è in un luogo che non è visibile: si trova nelle sue radici, nascoste nel terreno. Se non ti prendi cura di quelle radici, non puoi minimamente prenderti cura dei fiori né delle foglie. Per quanto tu possa baciare i fiori e le foglie, per quanto tu li possa amare, per quanto tu li tenga liberi dalla polvere e dalla sporcizia, la pianta appassirà. Viceversa, se non ti occupi affatto dei fiori ma curi le radici, i fiori si prenderanno cura di se stessi: essi scaturiscono dalle radici, e non sono queste ultime a nascere dai fiori!

Se tu chiedessi a chiunque qual è il centro più importante nel corpo umano, automaticamente costui indicherebbe con la mano la propria testa e dichiarerebbe che è quella la parte più importante del suo corpo. Oppure, se lo chiedessi a una donna, accennerebbe con la mano al cuore e direbbe che è quello la sua parte più importante.

Il punto più importante nel corpo umano non è la testa né il cuore; ma gli uomini hanno sempre enfatizzato l'importanza della testa e le donne del cuore, e la società, basata su questa ambivalenza, non ha fatto altro che deteriorarsi ogni giorno di più, perché nessuna di queste due parti è la più importante in un corpo umano: entrambe sono due sviluppi periferici. Le radici dell'uomo non stanno in nessuna delle due!

Quando parlo di "radici dell'uomo", che cosa intendo? Così come le piante affondano le radici nel terreno da cui succhiano l'energia vitale – la linfa e la vita di cui si nutrono – allo stesso modo, in un punto ben preciso del corpo umano, esistono radici che succhiano l'energia vitale dall'anima. Grazie a queste radici il corpo rimane in vita; il giorno in cui queste radici si indeboliscono, il corpo comincia a morire.

Le radici della pianta affondano nel terreno, le radici del corpo umano affondano nell'anima; ma né la testa, né il cuore sono il luogo dal quale il corpo è connesso con la propria energia vitale e, se non sappiamo nulla delle nostre radici, non potremo mai entrare nel mondo di un meditatore.

Ebbene, dove sono le radici dell'uomo? Probabilmente non siete ancora consapevoli di quel luogo. Anche le realtà più semplici e comuni, se non hanno ricevuto alcuna attenzione per migliaia di anni, cadono nel dimenticatoio. Un bambino nasce nell'utero materno e comincia a crescervi. Attraverso quale parte del corpo il bambino è connesso con la madre? Forse attraverso la testa o il cuore? Niente affatto, il feto è connesso con la madre attraverso l'ombelico. L'energia vitale è disponibile al feto attraverso l'ombelico; il cuore e la mente si sviluppano in seguito. Il feto può ricevere l'energia vitale della madre attraverso l'ombelico; dunque, è attraverso l'ombelico che il feto affonda le sue radici nel corpo della madre e, in direzione opposta, anche nel proprio corpo.

Il punto più importante nel corpo umano è quindi l'ombelico; solo in seguito si sviluppano il cuore e la mente. Questi sono i rami che si sviluppano successivamente e su questi rami sbocciano i fiori. I fiori della conoscenza sbocciano nella mente, i fiori dell'amore sbocciano nel cuore. Sono questi fiori che ci seducono, per questo noi pensiamo che rappresentino tutta la nostra realtà; mentre di fatto le radici del corpo umano e la sua energia vitale sono nell'ombelico. Qui non sbocciano fiori; le radici sono assolutamente invisibili, non si possono neppure vedere. Ma la degenerazione avvenuta nella vita umana negli ultimi cinquemila anni è dovuta al fatto che l'umanità ha concentrato tutta la sua attenzione o sulla mente o sul cuore. E anche al cuore l'umanità ha prestato poca attenzione, focalizzandosi per lo più sulla mente.

Fin dalla più tenera infanzia, l'educazione del bambino è concentrata sulla sua mente; in nessuna parte del mondo si pratica l'educazione dell'ombelico. L'educazione in quanto tale si riferisce alla mente, quindi nel bambino la mente cresce a dismisura, occupando uno spazio sempre maggiore, mentre le sue radici si assottigliano sempre di più. Noi tutti ci prendiamo cura della mente perché lì sbocciano i fiori, quindi la portiamo a occupare uno spazio sempre maggiore, mentre le radici si assottigliano fino a scomparire. Di conseguenza, l'energia vitale fluisce nell'uomo in modo sempre più debole e il nostro contatto con l'anima si affievolisce sempre più.

A poco a poco, l'uomo è arrivato al punto di chiedersi: «Dov'è l'anima? Chi mi dice che l'anima esiste? Chi mi dice che Dio esiste? Io non trovo niente di tutto ciò!». E non troveremo mai niente. È impossibile trovare qualcosa. Se qualcuno girasse intorno a un albero e chiedesse: «Dove sono le radici? Non riesco a trovarle!», direbbe una verità: le radici non sono in alcuna parte visibile dell'albero.

Per ciò che ci riguarda, noi non abbiamo accesso al punto in cui si trovano le nostre radici e non siamo neppure consapevoli della sua esistenza. Fin dalla nostra più tenera infanzia, ogni insegnamento e tutta la nostra educazione sono stati rivolti alla nostra mente; pertanto, per tutta la vita, non facciamo altro che girovagare intorno alla mente. La nostra consapevolezza non va mai al di sotto della mente.

Il viaggio di un meditatore si orienta verso il basso, verso le sue radici. Il meditatore deve scendere dalla testa al cuore, e dal cuore all'ombelico. L'uomo può entrare nell'anima solo attraverso l'ombelico, nessuno può entrare nella propria anima se prima non ha raggiunto l'ombelico.

Normalmente, nell'uomo la vita parte dall'ombelico e va verso la testa. In un ricercatore il movimento è esattamente opposto: deve scendere dalla testa per arrivare all'ombelico.

In questi tre giorni vi spiegherò e vi mostrerò, passo

dopo passo, come fare per scendere dalla testa e raggiungere il cuore, poi come fare a scendere dal cuore all'ombelico, e infine come entrare nell'anima attraverso l'ombelico.

Oggi è indispensabile che vi dica alcune cose sul corpo.

La prima cosa che dovete comprendere è che nell'uomo il centro dell'energia vitale è l'ombelico. Il bambino riceve la vita solo attraverso l'ombelico, solo dall'ombelico iniziano a prendere forma le diramazioni e le sottodiramazioni della sua vita; solo dall'ombelico egli riceve energia, solo dall'ombelico riceve la vitalità. Ma la nostra attenzione non è mai focalizzata su questo centro di energia, neppure per un minuto. La nostra attenzione non è minimamente focalizzata sul sistema grazie al quale possiamo conoscere quel centro di vitalità. Al contrario, tutta la nostra attenzione e tutta la nostra cultura sono focalizzate su un meccanismo che ci aiuta a dimenticarlo. Ecco perché tutta l'educazione che abbiamo ricevuto risulta errata.

Il nostro intero sistema educativo conduce lentamente l'uomo alla pazzia; infatti la mente, presa da sola, può unicamente condurre l'uomo alla pazzia.

Sapete che in una nazione più aumenta la cultura e più cresce il numero delle persone vittime della pazzia? Attualmente l'America è la nazione che conta il più alto numero di pazzi. Può esserne fiera! È la prova che l'America è la nazione più colta, la nazione più civile. Gli psicologi americani sostengono che, se questo sistema rimarrà immutato per altri cento anni, sarà molto difficile trovare un uomo assennato in tutti gli Stati Uniti. Già oggi, tre persone su quattro soffrono di disturbi mentali.

Solo in America ogni giorno tre milioni di persone consultano gli psicoanalisti. In America, piano piano, il numero dei medici decresce, mentre aumenta il numero degli psicoanalisti. Anche i medici affermano che l'ottanta per cento delle malattie riguarda la mente dell'uomo e non il suo corpo. Da quando i medici hanno compreso questa realtà, le percentuali sono aumentate: avevano cominciato dicendo che il quaranta per cento delle malattie riguarda la mente, poi sono saliti al cinquanta per cento e attualmente dichiarano che la percentuale è dell'ottanta per cento. E io vi assicuro che, tra venti o venticinque anni, i medici americani dichiareranno che il novanta per cento delle malattie riguarda la mente dell'uomo e non il suo corpo. Sarà inevitabile, poiché tutta la nostra attenzione è concentrata sulla mente dell'uomo, per questo la mente è precipitata nella follia.

Non avete idea di quanto il cervello umano sia delicato, fragile e sottile. Il cervello umano è la macchina più delicata che esista al mondo. Questa macchina è costretta a subire una quantità di stress tale che stupisce come ancora non abbia avuto un crollo irreparabile, impazzendo totalmente! Tutto il peso della vita grava sul nostro cervello e noi non abbiamo idea di quanto sia delicato. Abbiamo solo una pallidissima idea di quanto siano sottili e delicati i nervi nel nostro cervello; eppure devono sopportare tutto il peso, le ansietà e le sofferenze, il sapere e la cultura... l'intero peso della vita ricade su di loro.

Forse non sapete che nella nostra piccola testa esiste un cervello che ha circa settanta milioni di nervi. Solo dal numero potete dedurre quanto siano sottili. Non esiste al mondo una macchina o una pianta più delicate del cervello umano. Il fatto che nella nostra piccola testa ci siano circa settanta milioni di nervi, dimostra quanto sia delicata: in ogni cervello umano ci sono tanti nervi che, se li srotolassimo e li allungassimo in un'unica fila, potremmo coprire l'intera circonferenza della Terra.

Nella nostra piccola testa c'è un meccanismo davvero sofisticato ed estremamente delicato! E negli ultimi cinquemila anni, tutto lo stress della vita è confluito unicamente nel cervello, malgrado la sua delicatezza. Il risultato era inevitabile: i suoi nervi hanno cominciato a cedere, l'uomo ha cominciato a perdere la propria sensatezza e a precipitare nella pazzia.

Il peso dei pensieri non può condurre l'uomo che alla pazzia. Tutta la nostra energia vitale ha cominciato a circolare unicamente nel cervello.

Un meditatore deve orientare la propria energia vitale più in profondità, più verso il basso, più verso il centro del proprio corpo: deve riportarla indietro. Come può farlo? Per capirlo, dobbiamo comprendere qualcosa sul corpo umano... il primo passo.

Il corpo non è considerato come un veicolo per il viaggio spirituale, né come un tempio per il divino, né come uno strumento per scoprire il centro della vita. Il corpo umano è guardato dal punto di vista di coloro che indulgono nei piaceri oppure dal punto di vista di coloro che rinunciano a tutti i piaceri; ma entrambi gli approcci sono errati.

La Via che conduce a tutto ciò che è grande nella vita e a tutto ciò che merita di essere realizzato è nel corpo e attraversa il corpo.

L'uomo dovrebbe accettare il proprio corpo come un tempio, come un cammino spirituale, e fino a quando questo non sarà il nostro atteggiamento, noi saremo tra coloro che indulgono nei piaceri o tra coloro che rinunciano a tutti i piaceri. In entrambi i casi il nostro atteggiamento verso il corpo non sarà né giusto né equilibrato.

Un giovane principe ricevette l'iniziazione dal Buddha. Nella sua vita aveva provato ogni genere di piacere, aveva vissuto solo per il piacere. Poi aveva deciso di diventare un *bhikshu*, un monaco. Tutti gli altri *bhikshu* ne furono sorpresi e dicevano: «Questo giovane vuole diventare un monaco? Non è mai uscito dal suo palazzo, non si è mai spostato se non sulla sua carrozza. Le strade che era solito percorrere erano coperte da tappeti vellutati. E ora vuole diventare un mendicante! Che pazzia pensa di fare?».

Il Buddha diceva che la mente umana si muove sempre tra due estremi, passa da un estremo all'altro. La mente umana non si ferma mai nel mezzo. Proprio come il pendolo di un orologio si muove da un lato all'altro e non si ferma mai nel mezzo, allo stesso modo la mente umana si muove sempre da un estremo all'altro.

Fino a quel momento il principe aveva vissuto a un estremo, quello di coloro che indulgono nei piaceri del corpo; da quel momento in poi voleva vivere all'estremo opposto, quello di coloro che rinunciano al corpo.

E così fu. Mentre tutti i *bhikshu* camminavano sulla strada maestra, il principe, che non aveva mai percorso strade che non fossero coperte da preziosi tappeti, diventato monaco camminava sui sentieri meno battuti, coperti di rovi. Quando tutti i *bhikshu* si sedevano all'ombra di un albero, egli stava in piedi sotto il solleone. Mentre tutti i *bhikshu* si cibavano una volta al giorno, egli un giorno digiunava e un giorno si nutriva. Nell'arco di sei mesi era diventato uno scheletro. Il suo bellissimo corpo era bruciato dal Sole e i suoi piedi erano coperti di piaghe.

Dopo sei mesi il Buddha andò da lui e gli disse: «Shrona» questo era il suo nome «voglio chiederti una cosa. Ho sentito dire che quando eri un principe, eri un ottimo suonatore di vina. È vero?».

Shrona gli rispose: «Sì. La gente diceva che nessun altro era capace di suonare la vina bene come me».

Il Buddha continuò: «Ebbene, sono venuto a farti una domanda, forse tu puoi darmi la risposta. Dimmi: se le corde della vina sono troppo allentate, la musica riesce a scaturire dallo strumento oppure no?».

Shrona scoppiò in una risata. Esclamò: «Che domanda mi fai? Anche un bambino sa che, se le corde della vina sono troppo allentate la musica non può uscirne, poiché le corde allentate non possono creare suoni, è impossibile pizzicarle; dunque nessuna musica può nascere da corde allentate».

Il Buddha chiese ancora: «E se le corde sono troppo tese?».

Shrona rispose: «Anche da corde troppo tese la musica non può sgorgare, perché le corde troppo tese si rompono non appena il suonatore le tocca».

Quindi il Buddha chiese: «Quando la musica riesce a scaturire dallo strumento?».

Shrona rispose: «La musica può nascere solo quando le corde si trovano in uno stato in cui possiamo dire che sono né troppo tese né troppo allentate. Esiste uno stato in cui le corde non sono troppo tese, né troppo allentate. Esiste un punto mediano, il giusto mezzo: la musica affiora solo quando le corde si trovano in quello stato intermedio. Un musicista esperto allenta e tira le corde fino a portarle in quel punto, prima di cominciare a suonare».

Il Buddha concluse: «Non dire altro! Ho ricevuto la risposta. Sono venuto a dirti la stessa cosa. Proprio come tu sei stato un esperto suonatore di vina, allo stesso modo io sono diventato un Maestro esperto nel suonare la vina della vita. E la stessa legge che si applica alla vina, vale anche per la vina della vita. Se le corde della vita sono troppo allentate, la musica non può scaturire, ma anche se sono troppo tese, la musica non può nascere. Colui che vuole creare la musica della vita prima deve controllare che le sue corde non siano né troppo tese, né troppo allentate».

Dov'è questa vina della vita? La vina della vita non è altro che il corpo umano, e nel corpo umano esistono corde che non devono essere troppo tese né troppo allentate. Solo nell'equilibrio di queste corde l'uomo entra nella musica della vita. Conoscere questa musica significa conoscere l'anima. Quando un uomo arriva a conoscere la propria musica interiore, in se stesso, conosce l'anima; e quando arriva a conoscere la musica nascosta nel Tutto, conosce il divino.

Dove si trovano le corde della vina del corpo umano? Innanzitutto, nella mente esistono molte corde che sono troppo tese. Sono così tese che la musica della vita non riesce a scaturirne. Se qualcuno le sollecita, possono generare solo pazzia. E voi tutti state vivendo con le corde della vostra mente molto tese; le tenete in tensione ogni giorno per ventiquattr'ore, dal mattino alla sera. E se qualcuno pensa che quelle corde possano rilassarsi durante la notte, si sbaglia; anche durante la notte le corde della mente sono tese e stressate.

In passato, non sapevamo che cosa succedeva nella mente umana durante la notte, ma ora esistono macchine che registrano quello che accade nel tuo cervello, mentre dormi.

Attualmente, sia in America sia in Russia, esistono un centinaio di laboratori che studiano il comportamento di un uomo addormentato. Sono state studiate più di quarantamila persone mentre dormivano e i risultati sono davvero sorprendenti: dimostrano che l'uomo, durante il sonno notturno, continua a fare tutto ciò che faceva durante il giorno.

Qualsiasi cosa abbia fatto nell'arco della giornata... se di giorno gestisce un negozio, di notte continua a gestirlo. Se la mente durante il giorno è stata immersa in qualche preoccupazione, continua a preoccuparsi anche durante la notte. Se è stata in collera durante il giorno, continua a esserlo durante la notte.

La notte è lo specchio di ciò che è accaduto durante il giorno: è la sua eco. Tutto ciò che è accaduto nella mente durante il giorno risuona come un'eco durante la notte. Qualsiasi cosa sia rimasta incompleta, la mente cerca di completarla durante la notte. Se sei stato preda della collera, e non l'hai espressa, l'hai manifestata solo in parte o l'hai addirittura repressa, la tua mente la sfoga di notte. Completando la manifestazione della collera, la corda della vina cerca di raggiungere il giusto equilibrio. Se qualcuno ha digiunato di giorno, durante la notte sogna di mangiare: *qualsiasi cosa* sia rimasta incompleta o incompiuta durante il giorno, la mente tenta di completarla durante la notte.

Pertanto, tutto ciò che la mente ha fatto durante il giorno lo ripete per tutta la notte. La mente rimane tesa ventiquattr'ore su ventiquattro, non ha mai riposo. Le corde della mente non si rilassano mai; le sue corde sono molto tese. Questa è la prima cosa.

La seconda cosa è questa: le corde del cuore sono molto allentate. Le corde del vostro cuore non sono affatto tese. Conoscete qualcosa che assomigli all'amore? Conoscete bene la collera, l'invidia, la gelosia e l'odio; ma conoscete qualcosa che assomigli all'amore? Potreste rispondere che lo conoscete e che, di tanto in tanto, anche voi amate. Potreste rispondere che odiate certamente, ma che amate anche; ma sapete ciò che state dicendo? Può esistere un cuore che odia e che al tempo stesso ama? Sarebbe come dire che una persona a volte è viva a volte è morta! Non potreste credere a una simile eventualità, perché un uomo è vivo o è morto: questi due stati non possono accadere simultaneamente. Un uomo non può essere a volte vivo a volte morto: è impossibile. Il cuore umano conosce solo l'odio o conosce solo l'amore. Il cuore umano non può scendere a compromessi tra i due sentimenti. Per un cuore che ama, l'odio diventa impossibile.

Un tempo viveva una mistica di nome Rabiya. Leggeva ogni giorno il Corano; in esso aveva cancellato una riga, l'aveva letteralmente cancellata! Nessuno cancella righe in un testo sacro, infatti che cosa potrebbe essere perfezionato in una sacra scrittura?

Un altro mistico andò a vivere con Rabiya. Leggendo il Corano, esclamò: «Rabiya, qualcuno ha distrutto il tuo libro sacro! Ora è sconsacrato, è stata cancellata una riga! Chi è stato?».

Rabiya rispose: «L'ho cancellata io».

Il mistico rimase esterrefatto e le chiese: «Perché l'hai cancellata?». In quella riga era scritto: odia il demonio.

Rabiya gli spiegò: «Mi trovo in difficoltà: il giorno in cui nel mio cuore scaturì l'amore verso Dio, l'odio scomparve dal mio essere; ora, anche se volessi odiare, non potrei più farlo. Anche se il demonio mi apparisse davanti, non potrei fare altro che amarlo. Non ho altra scelta, poiché per odiare dovrei avere odio dentro di me, per odiare nel mio cuore dovrebbe esserci odio. Dove altrimenti potrei attingere quell'odio e come potrei fare?».

L'odio e l'amore non possono coesistere nello stesso cuore. Questi due sentimenti sono opposti come la vita e la morte: non possono coesistere nello stesso cuore.

Allora, che cos'è il sentimento che voi chiamate amore? Quando in voi l'odio occupa una parte minore, ciò che sentite lo chiamate amore e quando in voi l'odio occupa la parte maggiore, ciò che sentite lo chiamate odio. I vostri sentimenti sono sempre di odio, in proporzioni maggiori o minori. Non esiste affatto alcun amore; l'errore è causato dalle proporzioni. A causa delle proporzioni, potete pensare erroneamente che il freddo e il caldo siano due stati diversi; non lo sono: il caldo e il freddo sono due gradazioni dello stesso stato. Se la proporzione di caldo diminuisce, sentite che una cosa è fredda; se la proporzione di caldo aumenta, sentite che quella stessa cosa è calda. Il freddo è l'altra forma del caldo; vi sembrano due stati opposti, diversi e contrari, ma non lo sono. Sono forme più o meno condensate dello stesso stato.

Allo stesso modo, voi conoscete l'odio: la forma meno condensata di odio, la recepite come amore e la forma più condensata di odio, voi la recepite come odio; ma l'amore non può essere in alcun caso una forma di odio. L'amore è un sentimento totalmente diverso dall'odio, non ha alcun rapporto con l'odio.

Le corde del vostro cuore sono totalmente allentate. La musica dell'amore non riesce ad affiorare da quelle corde allentate, né ci riesce la musica della beatitudine. Nella vostra vita avete mai conosciuto l'amore? Potete parlare di un momento qualsiasi di beatitudine, in cui abbiate riconosciuto e sperimentato la beatitudine? È difficile che possiate dichiarare sinceramente di averla conosciuta.

Avete mai conosciuto l'amore? Avete mai conosciuto la

pace? È difficile che possiate dire qualcosa su questi due sentimenti.

Che cosa conoscete? Conoscete l'irrequietezza. Certo, se a volte l'irrequietezza scende a gradazioni più basse, pensate di avere la pace interiore. In realtà, siete talmente irrequieti che, quando la vostra irrequietezza diminuisce un pochino, provate un'illusione di pace.

Un uomo è ammalato: quando la sua malattia diminuisce di intensità, afferma di essere guarito. Se la malattia che l'avvolge diminuisce di intensità, pensa di essere guarito; ma qual è il rapporto tra malattia e salute? La salute è uno stato del tutto diverso dalla malattia.

La salute è uno stato completamente diverso. Pochissimi tra noi sono in grado di conoscerlo. Noi conosciamo uno stato di maggiore o di minore malattia, ma non conosciamo la salute in quanto tale. Noi conosciamo uno stato di maggiore o di minore irrequietezza, ma non conosciamo la pace, la quiete. Noi conosciamo uno stato di maggiore o di minore odio, uno stato di maggiore o di minore collera...

Voi potreste pensare di andare in collera solo ogni tanto. Questa vostra idea è falsa: voi siete in collera per ventiquattr'ore ogni giorno! A volte in voi la rabbia è maggiore e, a volte, è minore; comunque voi siete in collera per ventiquattr'ore ogni giorno. È sufficiente una piccola opportunità perché quella rabbia affiori: è alla ricerca dell'occasione per esplodere. In voi la rabbia è pronta: è solo alla ricerca di un'opportunità esterna che vi dia il pretesto di esplodere. Se andaste in collera senza ragione, la gente penserebbe che siete impazziti; se però non ne trovate una, esplodete anche senza motivo. Forse non ne siete consapevoli.

Per esempio, si può chiudere a chiave un uomo in una

stanza, provvisto di tutto il necessario, e chiedergli di annotare qualsiasi cambiamento avvenga nella sua mente. Prendendo nota di questi cambiamenti, scoprirà che a volte, senza alcun motivo, si sente benissimo in quella stanza chiusa e altre volte, senza motivo, si sente male; a volte è triste, altre è felice; a volte e senza alcun motivo, si sente in collera, altre volte la collera scompare. Non riceve sollecitazioni dall'esterno – la situazione nella stanza è costantemente la stessa – che cosa accade in lui, dunque? È questo il motivo per cui l'essere umano ha tanta paura della solitudine: in solitudine non riceve pretesti dall'esterno, deve rendersi conto che tutto ciò che affiora proviene dalla sua interiorità. Qualsiasi persona, costretta in isolamento, non riesce a rimanere mentalmente sana per più di sei mesi, impazzirà inevitabilmente.

Un mistico aveva dichiarato questa verità a un faraone egiziano, ma il faraone non voleva credergli. Perciò il mistico gli chiese di cercare l'abitante più sano della sua città e di metterlo in isolamento per sei mesi. La città fu setacciata. Trovarono un giovane, in perfetta salute e felice sotto tutti i punti di vista: era uno sposo novello, aveva un figlioletto, guadagnava bene ed era sempre allegro.

Lo portarono davanti al faraone che gli disse: «Non ti creeremo alcun disturbo. Stiamo solo facendo un esperimento. Ci prenderemo cura della tua famiglia; le forniremo il cibo, gli abiti e soddisferemo qualsiasi sua esigenza. Staranno a meraviglia, faremo più di quanto tu sia riuscito a fare per loro. E anche tu avrai ogni comodità, ma per sei mesi dovrai vivere da solo».

Lo rinchiusero in una grande casa. Gli fornirono tutte le comodità possibili, ma era totalmente isolato! Anche il guardiano non parlava la sua lingua, perciò non poteva scambiare neppure due parole con lui. Nell'arco di soli due o tre giorni, il giovane cominciò a innervosirsi. Era circondato da tutte le comodità, non aveva difficoltà di alcun genere: gli servivano il cibo all'ora giusta, poteva coricarsi all'ora che voleva. Poiché la casa che lo ospitava era parte del palazzo reale, poteva avere ogni comfort, e non incontrava alcuna difficoltà. Poteva starsene comodamente seduto e fare qualsiasi cosa volesse. Una sola cosa gli era impossibile: parlare con qualcuno o incontrare qualcuno. Dopo soli due o tre giorni, il giovane cominciò a sentirsi a disagio e dopo otto giorni cominciò a gridare: «Fatemi uscire da qui! Non voglio più stare chiuso qui dentro!».

Qual era il suo problema? I problemi avevano cominciato ad affiorare dall'interno. Fino a quel giorno, il giovane aveva pensato che provenissero dall'esterno, nell'isolamento scoprì che provenivano dalla sua interiorità.

Al termine dei sei mesi, il giovane era impazzito. Dopo sei mesi, quando lo lasciarono libero di uscire, videro che era totalmente impazzito. Aveva cominciato a parlare da solo, a farsi del male, ad andare in collera contro se stesso, il suo amore era diventato narcisistico: l'altro non esisteva più. Dopo sei mesi, liberarono un pazzo. Ci vollero sei anni di cure per guarirlo.

Ciascuno di voi impazzirebbe. Gli altri ti offrono delle opportunità di sfogo, per questo non impazzisci. Trovi un pretesto: «Quell'uomo mi ha fatto un sopruso, per questo ribollo di collera». Nessuno ribolle di collera perché qualcuno ha abusato di lui; la collera era già presente: il sopruso è stato l'opportunità per esternarla.

Un pozzo è pieno d'acqua: se vi immergi un secchio e poi lo tiri su, quell'acqua uscirà dal pozzo. Se nel pozzo non c'è acqua, puoi immergere il secchio quanto vuoi, sarà sempre vuoto. Il secchio in sé non ha il potere di far sgorgare l'acqua; come prima cosa è necessario che nel pozzo ci sia l'acqua. Se è pieno d'acqua, il secchio può prelevarla; ma se nel pozzo non c'è acqua, il secchio non potrà mai prelevarla.

Se in te non c'è collera, se in te non c'è odio, non esiste potere al mondo che possa estrarre da te collera oppure odio. Nei lassi di tempo in cui nessuno immerge un secchio nel tuo pozzo, puoi avere l'illusione che non ci sia acqua. Quando qualcuno vi immerge un secchio, lo preleva traboccante d'acqua... solo quando il pozzo rimane inutilizzato, puoi pensare erroneamente che in esso non ci sia più acqua; allo stesso modo, se nessuno ce ne dà l'opportunità, da noi non possono sgorgare né la collera, né l'odio, né l'invidia. Non per questo, però, dovete pensare che nel vostro pozzo non ci sia acqua! L'acqua c'è: è in attesa di qualcuno che venga a prelevarla con il suo secchio. Ma noi pensiamo che questi tempi intermedi siano momenti d'amore e di pace. Questo è un errore!

Nel mondo, dopo ogni guerra, la gente pensa sempre di vivere un periodo di pace. Ma Gandhi diceva: «Secondo me non è così. Nel mondo o è in atto una guerra oppure si sta preparando una guerra; la pace non è mai esistita; la pace è un'illusione».

In questo momento nel mondo non esiste una guerra vera e propria: dalla fine della Seconda guerra mondiale, siamo in attesa della Terza guerra mondiale. Se definiamo i giorni attuali come giorni di pace, sbagliamo. Questi non sono giorni di pace, sono giorni di preparazione della Terza guerra mondiale. In tutto il mondo si continuano a fare preparativi per una Terza guerra mondiale. Comunque è vero: o c'è una guerra in atto o la si sta preparando. Da quando esiste, il mondo non ha mai visto un giorno di pace.

Anche nell'interiorità dell'uomo o c'è una esplosione di collera o c'è la preparazione per una simile esplosione, l'uomo non conosce lo stato di assenza della collera. Nell'interiorità dell'uomo c'è irrequietezza: o affiora o si prepara ad affiorare. Se pensate che i momenti in cui si prepara ad affiorare siano momenti di pace, vi sbagliate.

Le corde del vostro cuore sono molto allentate: da esse riescono ad affiorare solo collera, alterazione e disarmonia. Da esse non riesce a scaturire alcuna musica. E se le corde della tua mente sono troppo tese, in te può scaturire solo la pazzia; mentre se le corde del tuo cuore sono troppo allentate, in te può scaturire solo collera, inimicizia, invidia e odio. Le corde del tuo cuore dovrebbero essere un po' più tese, in modo che in te possa scaturire l'amore; e le corde della tua mente dovrebbero essere un po' più allentate, in modo che in te possa scaturire un'intelligenza vigile e non la pazzia. Se queste corde del tuo essere fossero entrambe equilibrate, in te potrebbe nascere la musica della vita.

Quindi, tratteremo due aspetti. Il primo: come rilassare le corde della mente. Il secondo: come tendere le corde del cuore, in modo da crearvi una tensione. Il metodo per fare tutto questo è ciò che io chiamo meditazione.

Se queste due cose accadono, può accadere anche la terza: avrai la possibilità di calarti nel centro reale della tua vita, l'ombelico. Se da entrambi questi centri nasce la musica della vita, riuscirai a calarti in te stesso. Quella stessa musica diventerà il veicolo che ti condurrà in profondità. Più il tuo essere sarà armonioso, più affiorerà in te la musica della vita più scenderai in profondità. Più il tuo essere sarà disarmonico meno andrai in profondità, rimarrai in superficie nella stessa proporzione.

Nei prossimi due giorni tratteremo questi due punti, e non ci limiteremo a una discussione teorica, sperimenteremo anche il metodo per riportare in equilibrio queste corde della vina della vita.

Dovete fare vostri i tre punti di cui vi ho appena parlato, teneteli bene a mente in modo da poterli connettere con tutto ciò che sto per dirvi.

In primo luogo, l'anima dell'uomo non è connessa né con la sua mente né con il suo cuore; l'anima dell'uomo è connessa con il suo ombelico. Nel corpo umano, il punto più importante è l'ombelico: è il suo centro. L'ombelico non è solo il centro del corpo dell'uomo, è anche connesso al centro della vita. Il bambino nasce dall'ombelico e la sua vita finirà attraverso l'ombelico. Per coloro che scoprono la verità, l'ombelico diventa la soglia.

Potete non esserne consapevoli, ma durante il giorno il vostro respiro entra ed esce dal torace, mentre durante la notte il vostro respiro entra ed esce dall'ombelico. Durante il giorno il vostro torace si alza e si abbassa; ma durante il sonno notturno è la pancia ad alzarsi e ad abbassarsi. Dovete aver visto un lattante che respira: il suo torace rimane immobile, è la pancia che si alza e si abbassa. Il lattante vive ancora vicinissimo all'ombelico. Crescendo, il bambino comincia a respirare solo attraverso il torace e il riflesso del suo respiro non raggiunge più l'ombelico.

Se stai percorrendo una strada – in bicicletta o al volante di un'automobile – e improvvisamente ti accade un incidente, ti accorgi con sorpresa di ricevere il primo contraccolpo nell'ombelico, non nella mente e non nel cuore. Se un uomo armato di coltello ti assale all'improvviso, avverti il primo tremito nell'ombelico, mai altrove. Se in questo preciso istante fossi colto dalla paura, sentiresti il primo tremito nell'ombelico. In un qualsiasi momento di pericolo per la nostra vita, sentiamo il primo tremito nell'ombelico, perché è il centro vitale. Il tremito non può accadere in nessun altro punto del corpo. Le sorgenti della vita partono tutte dall'ombelico, ma l'uomo vaga in una specie di limbo poiché la sua attenzione non è mai focalizzata sull'ombelico. Quel centro è gravemente malato poiché l'uomo non focalizza mai la sua attenzione su di esso e non adotta alcuna pratica per favorirne lo sviluppo.

Dovremmo acquisire e usare regolarmente qualche pratica per favorire lo sviluppo del centro nell'ombelico. Proprio come abbiamo creato scuole e università per sviluppare la mente, è assolutamente necessario organizzare qualcosa che favorisca lo sviluppo del centro nell'ombelico; infatti, esistono cose che aiutano quello sviluppo e altre che invece lo bloccano.

Vi ho già detto che una situazione di paura viene sentita prima di tutto nel centro nell'ombelico. Pertanto, più lasci perdere le tue paure e più quel centro si risana; e più pratichi il coraggio, più quel centro si sviluppa. Più cresce in te il coraggio, più si risana e si rafforza il tuo centro nell'ombelico, e il tuo contatto con la vita si approfondisce. Ecco perché i grandi meditatori in tutto il mondo hanno sempre considerato il coraggio come una virtù essenziale nel ricercatore; il coraggio non ha nessun altro significato, il suo significato è solo questo: restituire al centro nell'ombelico tutta la sua vitalità; il coraggio è solo uno strumento per favorire lo sviluppo del centro nell'ombelico.

Parleremo di questo, passo dopo passo.

È essenziale prestare la massima attenzione al centro nell'ombelico, perciò è necessario che lentamente spostiate l'attenzione dal centro nella mente e dal centro nel cuore, in modo che possa scendere e penetrare sempre più in profondità. Per renderlo possibile, faremo due esperimenti di meditazione, uno al mattino e uno la sera.

Ora vi spiegherò l'esperimento di meditazione mattutina e poi per quindici minuti staremo seduti e faremo questa meditazione.

Se dovete far scendere la consapevolezza dalla mente, è necessario che teniate la mente in rilassamento totale; ma noi la teniamo in costante tensione. Ci siamo dimenticati che la nostra mente è sempre in tensione, è tesa al massimo e non ne siamo neppure coscienti. Quindi la prima cosa da fare è permetterle di rilassarsi.

Pertanto, quando ci metteremo seduti a meditare, ricordate tre cose...

La prima: la mente deve essere completamente rilassata, così calma e rilassata da non fare più niente. Ma come faremo ad accorgerci che la mente è rilassata? Se chiudiamo la mano in un pugno serrato, ci accorgiamo che i muscoli della mano sono molto tesi. Poi, quando apriamo il pugno, ci accorgiamo che sono allentati e rilassati. Poiché la nostra mente è costantemente in tensione, non conosciamo neppure che cosa sia una mente tesa né che cosa sia una mente rilassata. Quindi dovremo fare questo: prima di tutto porteremo la tensione della nostra mente al massimo, poi improvvisamente la lasceremo cadere nel rilassamento; allora capirete la differenza tra una mente tesa e una mente rilassata.

Dunque, seduti in meditazione, per un minuto porterete la tensione della vostra mente al massimo, fornendole il massimo possibile dello stress. Poi vi dirò: «Ora lasciatela cadere nel rilassamento» e voi la lascerete cadere nel rilassamento più totale. Gradualmente capirete che cos'è una mente tesa e che cos'è una mente rilassata. Dovreste riuscire a sentirlo, dovrebbe diventare una vostra esperienza diretta. Allora sarete in grado di rilassare la mente sempre più. Quindi il primo passo è rilassare totalmente la mente.

Insieme alla mente deve rilassarsi tutto il corpo. Dovete essere seduti così comodamente da non sentire tensione in nessuna parte del corpo. Nessuna parte del vostro corpo deve essere pesante. E poi che cosa farete? Nell'istante in cui vi lascerete cadere nel rilassamento più completo, gli uccelli cominceranno a cinguettare, udirete il rumore del mulino ad acqua, da qualche parte un corvo potrà gracchiare e altrove potranno esserci altri suoni... Comincerete a udire tutti questi suoni, poiché più la mente sarà rilassata più si acuirà in voi la sensibilità. Comincerete a udire e a sentire ogni rumore più lieve. Comincerete a udire anche i battiti del vostro cuore e a sentire il respiro che entra ed esce.

A quel punto, seduti in silenzio, dovete sperimentare con tranquillità tutto ciò che accade intorno a voi, senza fare nient'altro. Udite dei suoni? Ascoltateli in silenzio. Un uccello cinguetta, ascoltatelo in silenzio. Il respiro entra ed esce, continuate a osservarlo in silenzio; non dovete fare nient'altro. Da parte vostra non dovete fare niente poiché, se fate qualcosa, la mente entrerebbe subito in tensione.

Dovete solo rimanere seduti in uno stato di consapevolezza rilassata. Ogni cosa sta accadendo per proprio conto, voi limitatevi ad ascoltare quietamente. Resterete sorpresi: mentre ascoltate silenziosamente, in voi affiora un silenzio sempre più profondo. Più il vostro ascolto è profondo più in voi dilaga il silenzio. Dopo dieci minuti scoprirete di essere diventati uno straordinario centro di silenzio, tutto in voi si è acquietato.

Useremo dunque questa tecnica come primo esperimento di meditazione del mattino. Innanzitutto, porterete al massimo la tensione della mente. Quando vi dirò di farlo, chiuderete gli occhi e porterete al massimo la tensione della mente. Poi vi dirò di lasciarla cadere nel rilassamento: allora la lascerete rilassare, fino ad arrivare al rilassamento totale... Allo stesso modo, lascerete rilassare tutto il corpo. Con gli occhi chiusi, seduti in silenzio, ascolterete ogni suono intorno a voi, quietamente. Per dieci minuti dovrete solo ascoltare, in silenzio; non dovrete fare nient'altro. In quei dieci minuti, per la prima volta, sentirete che un ruscello di silenzio ha iniziato a scorrere in voi e che l'energia vitale comincia a scendere in profondità: inizierà a scendere verso il basso, partendo dalla testa.

Dovete sedervi a una certa distanza l'uno dall'altro. Tra di voi non ci deve essere alcun contatto. Coloro che hanno familiarità con questa meditazione, coloro che hanno già partecipato ad altri Campi di Meditazione, possono sedersi sul prato che sta alle mie spalle, in modo che i nuovi venuti possano ascoltarmi. In questo modo, se voglio dire loro qualcosa, se voglio aggiungere qualche istruzione, possono udirmi. Vedo che ancora qualcuno è seduto troppo vicino: distanziatevi un po'! Distanziatevi ancora un po'! Sedetevi pure sulla sabbia!

Prima di tutto chiudete dolcemente gli occhi. Chiudeteli molto dolcemente. Non dovrebbe esserci tensione negli occhi. Non dovete fare uno sforzo per chiuderli: lasciate cadere le palpebre lentamente, non dovreste avere alcuna sensazione di peso sugli occhi. Chiudete gli occhi. Sì, chiudeteli dolcemente.

Ora lasciate che il corpo si rilassi e mantenete in tensione solo la mente. Portate al massimo la tensione nella mente, fornitele il massimo possibile di stress, riempitela di stress. Sforzatevi di portare al massimo la tensione nella mente. Impegnate tutta la vostra energia per portare al massimo quella tensione. Ancora di più... ma lasciate rilassato tutto il corpo. Date alla mente tutta la vostra energia, in modo che sia totalmente tesa, proprio come un pugno chiuso con tutti i muscoli in tensione. Mantenetela in tensione con ogni mezzo, per un minuto; non permettete alla tensione di allentarsi, fate che rimanga al massimo. Portate la tensione della mente al massimo livello possibile e mantenetela in tensione. Impegnate tutta la vostra energia per portare quella tensione all'apice. Impegnate tutta l'energia per portare al massimo la tensione della mente in modo che, quando le permetterete di rilassarsi, potrà cadere in un rilassamento totale. Portate la tensione al massimo! Portatela veramente al massimo!

Ora, lasciate che si rilassi completamente. Permettetele di rilassarsi totalmente. Lasciate che si rilassi totalmente. Liberatela da ogni tensione. Nella vostra mente comincia ad accadere un rilassamento. Sentite che nella mente qualcosa è caduto, che la tensione è scomparsa e la mente si è come pacificata. Lasciate che si rilassi totalmente, rilassatevi semplicemente...

Seduti in silenzio ascoltate i suoni che ci circondano: il fruscio del vento tra le foglie, gli uccelli che cantano, ascoltate tutti questi suoni. Ascoltate semplicemente.

Continuate ad ascoltare tutti questi suoni. Più ascoltate più la mente diventa silenziosa, sempre più silente... ascoltate! Ascoltate in silenzio, totalmente rilassati. Continuate ad ascoltare. Per dieci minuti diventate solo ascolto... Continuate ad ascoltare e la mente comincia a diventare silente... Continuate ad ascoltare in silenzio, ascoltate semplicemente e la mente diventa silenziosa. In voi inizia ad affiorare spontaneamente un silenzio. Ascoltate semplicemente... Continuate ad ascoltare, mentre la mente sta diventando silenziosa, diventa totalmente silenziosa. La mente diventa il silenzio. Continuate ad ascoltare in silenzio e la mente diventa sempre più silenziosa...

*Secondo discorso*

# La mente, il cuore, l'ombelico

Amici carissimi,

questo pomeriggio vorrei approfondire alcuni punti relativi al centro reale del corpo e rispondere ad alcune domande che mi avete fatto in merito.

Né la testa, né il cuore: è l'ombelico il centro più importante e fondamentale della vita dell'uomo.

L'uomo si è sviluppato in funzione della mente, perciò la direzione, il flusso della sua vita è stato fuorviato. Da cinquemila anni si educa e si sviluppa solo la mente, solo l'intelletto. I risultati sono stati molto dannosi: in pratica, ogni essere umano si trova sull'orlo della pazzia, una piccola spinta e ogni uomo può impazzire! La mente è sull'orlo di un collasso: una piccola spinta e ogni mente può collassare.

E va notato un fatto sorprendente: nella seconda metà del ventesimo secolo, nell'arco di cinquant'anni, quasi tutti i più celebri pensatori del mondo sono impazziti. In Occidente, nello stesso periodo, è difficile trovare un solo pensatore che non abbia sperimentato qualche forma di pazzia: grandi poeti, grandi filosofi, grandi scienziati hanno tutti sofferto di una forma di pazzia. Piano piano, più la cultura aumenta nell'umanità più i sintomi della pazzia si diffondono anche tra la gente comune.

Se dobbiamo creare un uomo nuovo, è assolutamente necessario cambiare il centro della vita dell'essere umano. Se questo centro sarà più vicino all'ombelico, invece che alla testa, l'uomo sarà più in contatto con l'energia vitale.

Perché vi dico questo? In questa prospettiva è necessario comprendere altre cose ancora. Il figlio che si sviluppa nel grembo della madre è connesso alla madre attraverso l'ombelico. L'energia vitale della madre fluisce nel feto attraverso lo stesso ombelico. L'energia vitale della madre è un flusso di elettricità del tutto sconosciuto e misterioso, che nutre l'intero essere del feto attraverso il suo ombelico. In seguito il feto si separa dalla madre e nasce; dopo la nascita, il suo cordone ombelicale deve essere tagliato immediatamente e comincia così la sua separazione dalla madre.

È assolutamente necessario che il figlio si separi dalla madre, altrimenti non potrebbe mai avere una vita propria. Il feto, che è cresciuto dentro la madre e che è stato una cosa sola con il suo corpo, a un certo punto *deve* separarsi da lei. Questa separazione accade recidendo la connessione che aveva con lei attraverso l'ombelico.

Quando questa connessione viene tagliata, cessa il flusso dell'energia vitale che il feto riceveva attraverso l'ombelico. Il neonato comincia a tremare in tutto il suo essere. Tutto il suo essere inizia ad anelare: vuole ricevere quel flusso di energia vitale che gli era arrivato fino a poco prima, ma che ora si è improvvisamente bloccato.

Il dolore che il neonato sente, il suo pianto dopo la nascita, non è causato dalla fame: è provocato dal dolore per essere stato separato e distaccato dall'energia vitale. La sua connessione con l'intera energia vitale è stata interrotta, la sorgente dalla quale egli riceveva la vita fino a poco prima, ora non c'è più. Il neonato lotta per la vita; e se il neonato non piange, i medici e quanti hanno studiato a fondo l'esperienza del parto dichiarano che qualcosa non va. Se il neonato non piange, significa che non avrà la capacità di sopravvivere. Significa che non ha sentito la separazione dall'energia vitale; questo può voler dire solo una cosa: è vicino alla morte e non sopravviverà. Ecco perché chi assiste al parto fa ogni sforzo per provocare il pianto nel neonato. Questo pianto è assolutamente necessario, perché se il neonato deve vivere, deve avvertire la separazione dall'energia vitale. Se non la sente, è in grave pericolo.

E questo è il momento in cui il neonato tenta di ricongiungersi con l'energia vitale in un modo nuovo: lo fa attraverso il latte materno. Perciò la seconda connessione del neonato avviene attraverso il cuore. Connesso al cuore della madre, il centro nel cuore del figlio comincia a svilupparsi piano piano, e il centro nell'ombelico viene dimenticato.

Il centro nell'ombelico deve essere dimenticato, poiché non è più in connessione con la madre; e l'energia che il feto riceveva attraverso l'ombelico ora è ricevuta attraverso la bocca. Egli è di nuovo unito alla madre; si è creato un altro circuito di connessione.

Rimarrete sorpresi nell'apprendere che, se il neonato non è nutrito dal latte materno, se non è allattato al seno materno, la sua energia vitale sarà debole per sempre. Può essere nutrito con il latte in altri modi, ma se non riceve il tocco tiepido del cuore della mamma, la sua vita sarà frustrata per sempre e la sua possibilità di vivere a lungo sarà irrimediabilmente compromessa. I figli che non sono nutriti dal latte materno nella vita non potranno mai raggiungere la completa beatitudine e il completo silenzio.

In Occidente e gradualmente anche in India nelle ultime generazioni fermenta la ribellione. La ragione più profonda di questa ribellione – le sue radici – sta nel fatto che i neonati occidentali non sono nutriti con il latte materno. Il loro rispetto per la vita e il loro rapporto con la vita non è colmato dall'amore. Fin dalla primissima infanzia la loro energia vitale ha ricevuto molti shock, di conseguenza si sono disamorati. A causa di questi shock e della separazione dalla madre, si sono separati dalla vita stessa, perché per un neonato non esiste altra vita al di fuori della propria mamma.

In tutto il mondo le donne quando cominciano ad appropriarsi della cultura non amano allevare i figli in stretto contatto con loro, e il risultato è stato estremamente dannoso. Nelle società tribali, i figli sono nutriti con il latte materno per lungo tempo. Più una società diventa acculturata più presto i figli sono svezzati. Sono separati dal latte materno sempre più prematuramente e incontrano sempre più difficoltà a sperimentare la pace; fin dall'inizio nella loro vita prevarrà una profonda irrequietezza: su chi si vendicheranno per questa loro irrequietezza? Sui loro stessi genitori.

In tutto il mondo i figli si stanno vendicando sui propri genitori. Su chi altro potrebbero farlo? Loro stessi non capiscono la reazione che sta accadendo in loro, la ribellione e la fiamma che stanno esplodendo in loro; eppure, inconsciamente, in profondità, sanno che questa ribellione è il risultato della separazione dalla loro mamma, avvenuta troppo presto. Lo sa il loro cuore, ma non il loro intelletto. Il risultato è che si vendicano sulla madre e sul padre, di fatto si vendicano su chiunque.

Il figlio in lotta contro la madre e il padre non può mai essere ben disposto verso Dio; non ne ha alcuna possibilità, poiché i primi sentimenti che scaturiscono dal suo cuore verso Dio sono quelli che nutre verso la madre e il padre.

È significativo il fatto che in tutto il mondo Dio è chiamato "padre". È significativo il fatto che Dio è visto come immagine del padre. Solo se le prime esperienze dell'infanzia sono state di fiducia, di gratitudine e di riverenza verso il padre e la madre, l'uomo proverà le stesse cose nei confronti di Dio; in caso contrario sarà impossibile.

Il neonato viene separato dalla mamma immediatamente dopo la nascita. La sua seconda fonte di energia vitale è la connessione con il cuore della mamma. Ma, a un certo punto, il bambino deve separarsi anche dall'allattamento materno.

Quando arriva il momento giusto per farlo? Non arriva così presto come noi comunemente pensiamo. Il figlioletto dovrebbe rimanere in connessione con il cuore materno per un tempo più lungo, se vogliamo che il suo amore e il suo cuore si sviluppino nel modo giusto nell'arco della sua vita. Invece lo costringiamo a separarsi molto presto. Una mamma non dovrebbe separare il figlio dall'allattamento al suo seno, dovrebbe permettere al bambino di allontanarsi spontaneamente; a un certo punto il figlioletto lo farà. Una mamma che costringe il figlio a separarsi dal suo seno è come se togliesse il feto dal suo utero dopo quattro o cinque mesi dal concepimento, anziché permettergli di vedere la luce dopo nove mesi. Altrettanto dannosa per il figlio è la decisione di separarlo dal seno prima che il bambino stesso abbia deciso di allontanarsi spontaneamente: in questo caso, il secondo centro – il centro nel cuore del bambino – non si svilupperà nel modo giusto.

Per aiutarvi a comprendere meglio, vorrei accennarvi a

qualcosa che vi sorprenderà. Come mai in tutto il mondo la parte del corpo femminile che più attrae gli uomini è il seno? Perché gli uomini sono tutti bambini che sono stati separati troppo presto dall'allattamento al seno materno! In qualche zona profonda della loro consapevolezza è rimasto un desiderio di contatto con il seno femminile. Questo desiderio non è stato appagato: non esiste altro motivo, né altra causa. Nelle società tribali, nelle società primitive dove il bambino è allattato al seno materno per tutto il tempo necessario, gli uomini non sono così attratti dal seno femminile.

Ma come mai nei vostri poemi, nei vostri racconti, nei vostri film, nelle vostre commedie, nei vostri quadri, il tema centrale è sempre il seno femminile? Tutte queste opere sono state create da uomini che, nella loro prima infanzia, non sono stati allattati al seno materno per tutto il tempo necessario. Il desiderio del seno materno è rimasto inappagato e risorge sotto nuove forme. Per questo motivo sono nate le fotografie pornografiche, sono stati scritti libri e canzoni pornografici. Per questo motivo gli uomini aggrediscono le donne per la strada e tentano di stuprarle. La società ha creato tutti questi mali e in seguito se ne lamenta, e vorrebbe liberarsene.

Per il bambino è fondamentale rimanere attaccato al seno materno per tutto il tempo necessario perché la sua crescita mentale, fisica e psicologica possa avvenire nel modo giusto. In caso contrario il suo centro del cuore non si svilupperà correttamente: rimarrà immaturo, non sviluppato, bloccato. E quando il centro del cuore resta sottosviluppato, accade qualcosa di impossibile: voi tentate di completare con la mente il lavoro che il vostro centro nel cuore e il vostro centro nell'ombelico non sono riusciti a portare a termine. Questo tentativo causa guai ancora maggiori, poiché ciascun centro ha la propria funzione e può fare solo il proprio lavoro: non può affatto fare il lavoro degli altri centri.

Né l'ombelico né la mente possono fare il lavoro del cuore. Ma al bambino, non appena viene separato dal seno materno, rimane un unico centro, sul quale ricade tutto il peso: il centro nella mente.

L'educazione, gli insegnamenti, le scuole e gli istituti professionali sono stati creati tutti per la mente. Quindi hanno successo nella vita solo coloro che sono dotati di una mente sviluppata e abile. Comincia una gara e gli uomini tentano di fare con la mente tutti i lavori che la loro vita implica e richiede.

L'amore di una persona che ama con la mente è falso, perché la mente non ha niente a che fare con l'amore. L'amore può accadere solo attraverso il cuore, non tramite la mente. Ma il centro nel cuore non è sviluppato a dovere, perciò voi cominciate a usare la mente. Voi *pensate* perfino all'amore! L'amore non ha niente a che fare con il pensiero, ma in voi perfino l'amore si esprime come pensiero! Ecco perché nel mondo c'è tanto erotismo.

L'erotismo ha un solo significato: è un segnale del fatto che l'uomo usa la mente per fare il lavoro che dovrebbe fare il centro del sesso. Quando il sesso entra nella mente, la vita intera è distrutta, e al giorno d'oggi, in tutto il mondo il sesso è entrato nella mente.

Il centro del sesso è nell'ombelico, poiché l'energia primaria della vita è il sesso: la nascita accade attraverso il sesso, la vita accade attraverso il sesso, la crescita accade attraverso il sesso. Ma il vostro centro nell'ombelico non è sviluppato, perciò voi usate altri centri per sopperire alle sue funzioni.

Negli animali c'è il sesso, ma non c'è erotismo; per questo il sesso degli animali ha una propria bellezza, una propria gioia.

L'erotismo dell'uomo è sgradevole, abnorme, perché il sesso è diventato un processo di pensieri nella sua mente: l'uomo *pensa* perfino al sesso!

Una persona può consumare un pasto: mangiare è una cosa buona, ma se qualcuno pensa al cibo ventiquattr'ore al giorno, è pazzo. Mangiare è una cosa buona in assoluto e necessaria, bisogna mangiare, ma se qualcuno pensa al cibo ventiquattr'ore al giorno significa che i suoi centri sono alterati: sta usando il centro nella mente per fare il lavoro dello stomaco. D'altra parte, né il cibo può raggiungere la mente, né la mente è in grado di digerirlo. La mente può solo pensare, può solo ponderare. Più la mente pensa al cibo più altera il lavoro dello stomaco, che ne risulta disturbato. Qualche volta, prova a digerire il cibo con il pensiero!

Comunemente tu ingerisci il cibo e non ci pensi più. Il cibo entra nello stomaco da solo e lo stomaco compie il lavoro di digerirlo: è un centro inconscio; fa il proprio lavoro e tu non devi pensarci. Ma un giorno prova a stare attento e a pensare: "Adesso il cibo ha raggiunto lo stomaco, ora viene digerito, ora accade questo e quest'altro...". Scoprirai che la digestione diventa impossibile Più il pensiero interferisce e più crea disturbo nel processo inconscio dello stomaco. Tali interferenze accadono raramente rispetto al cibo, fatta eccezione per coloro che sono ossessionati dal digiuno.

Se una persona digiuna senza un motivo, gradualmente il cibo entra nei suoi pensieri. Egli non mangia e digiuna... però pensa al cibo. Questo suo pensare al cibo è ancora più dannoso che mangiare. Mangiare certamente non è dannoso. Il cibo è essenziale per la vita, ma pensare al cibo è patologico. Quando una persona comincia a pensare al cibo, nella sua vita si blocca ogni crescita: sarà ossessionata da questi pensieri inutili.

Questo è quanto è accaduto con il sesso: abbiamo costretto il sesso a slittare fuori dal proprio centro e ora ci pensiamo costantemente.

In questo modo, a poco a poco, avete consegnato alla mente le funzioni di tre importanti centri della vostra vita. È come se un uomo tentasse di ascoltare con gli occhi o di vedere con la bocca. È come se un uomo tentasse di vedere o di gustare con le orecchie. Direste che quest'uomo è pazzo, perché l'occhio è l'organo per vedere e l'orecchio è l'organo per udire. L'orecchio non può vedere e l'occhio non può udire. Se tentassi di fare cose come queste, il risultato finale sarebbe il caos.

L'uomo è dotato di tre centri. Il centro della vita è l'ombelico, il centro dei sentimenti è il cuore, il centro dei pensieri è la mente. Di questi tre, il centro del pensiero è il più esterno; segue il centro dei sentimenti, situato più in profondità, e ancora più in profondità si trova il centro dell'essere.

Voi potete pensare che, se il cuore si ferma, anche l'energia vitale si blocca. Ma ora gli scienziati hanno scoperto che, anche se il cuore ha cessato di battere, la persona può continuare a vivere a patto che il cuore sia messo in condizione di riprendere i battiti entro sei minuti. Cessata la connessione con il cuore, il centro della vita nell'ombelico rimane attivo ancora per sei minuti. Se entro quei sei minuti il cuore è messo in condizione di riprendere a battere, oppure se è stato effettuato un trapianto di cuore, la persona può continuare a vivere e non deve più morire. Ma se la vita è uscita dal centro nell'ombelico, non si ottiene niente neppure trapiantando un cuore nuovo. In noi, il centro più profondo e fondamentale è l'ombelico; ecco perché questa mattina ho approfondito meglio l'argomento.

L'umanità che abbiamo creato finora è alterata; è come se l'uomo vivesse a testa in giù, nella postura *shirshasana*. In questa postura la persona si appoggia sulla testa e ha i piedi per aria. Se qualcuno stesse ventiquattr'ore nella postura *shirshasana*, in che stato sarebbe? Potete capirlo! Impazzirebbe di certo. Era già pazzo in partenza, altrimenti non sarebbe stato per ventiquattr'ore a testa in giù, non aveva alcun motivo per farlo. Ma nella vostra vita, avete capovolto le cose: voi tutti vivete a testa in giù! Avete fatto della testa la base della vostra vita. Pensare e ponderare sono diventate le basi della vostra vita.

La religione autentica dice che pensare e ponderare non sono le basi della vita; liberarsi dal pensare e dal ponderare, liberare la mente dai pensieri: queste dovrebbero essere le basi. Ma voi vivete pensando e ponderando e cercate di decidere come vivere con i pensieri. Questa è la ragione per cui tutti i vostri modi di vivere sono fuorvianti. Pensando non potete decidere niente: non potete digerire il cibo tramite il pensiero, non potete far scorrere il sangue nelle vene tramite il pensiero, non potete guidare la vostra respirazione tramite il pensiero.

Avete mai considerato che nessun processo significativo della vita è in rapporto con il pensiero? Infatti, tutti i processi vitali sono rallentati e disturbati dalla presenza invasiva del pensiero. Questo è il motivo per cui ogni notte avete bisogno di perdervi in un sonno profondo, in modo che tutti i vostri processi fisiologici possano funzionare a dovere, senza che voi li ostacoliate; solo così al mattino potete sentirvi freschi e rinnovati. Colui che non riesce a perdersi in un sonno profondo mette in gioco la propria sopravvivenza, perché pensare continuamente disturba i processi fondamentali della vita. Perciò la natura vi immerge in pause di sonno profondo, per un po'; vi porta in uno stato di inconsapevolezza, in cui ogni pensiero cessa e i vostri centri reali entrano in funzione.

I vostri centri reali sono anche in rapporto tra loro. Per esempio, io posso entrare in rapporto con te tramite il tuo intelletto. I miei pensieri possono sembrarti giusti, o significativi; in questo caso, tra te e me si stabilisce un rapporto intellettuale. Questo è il tipo di rapporto più superficiale, ma l'intelletto non genera mai rapporti più profondi.

I rapporti più profondi sono quelli del cuore, dell'amore, ma un rapporto d'amore non accade tramite il pensiero: accade in modo totalmente inconsapevole, senza l'apporto del pensiero. E i rapporti vitali che operano attraverso l'ombelico – e non attraverso il cuore – sono ancora più profondi, sono ancora più indescrivibili. È difficile perfino definire che tipi di rapporti sono, perché voi non conoscete questa dimensione.

In precedenza vi ho detto che la forza vitale della madre rende attivo l'ombelico del feto. Tra l'ombelico della madre e l'ombelico del feto scorre continuamente una sorta di elettricità. In seguito, durante la sua vita, ogni volta che quel bambino si avvicinerà a una donna dalla quale sentirà fluire lo stesso tipo di elettricità che riceveva dalla madre, inconsciamente percepirà in sé una sorta di rapporto, e non comprenderà affatto che cosa ha cominciato a sentire, né perché.

Questo rapporto sconosciuto, noi l'abbiamo chiamato amore. Non siamo capaci di riconoscerlo, quindi lo definiamo "cieco": l'amore *è* cieco. Proprio come le orecchie non possono vedere, la lingua non può odorare e l'occhio non può gustare, allo stesso modo l'amore è cieco perché sgorga da livelli talmente profondi da renderci difficile la comprensione delle sue motivazioni.

Di fronte a certe persone improvvisamente senti una forte repulsione, senti il bisogno di allontanarti, e non ne capisci il motivo. Perché vuoi allontanarti da loro? Se la tua elettricità e la loro – che influenza l'ombelico – sono opposte, anche senza capire, devi allontanarti. Ti sembra che qualcosa ti costringa ad allontanarti.

A volte, improvvisamente ti senti attratto da una persona e non capisci il perché: ti sembra che tale attrazione sia inspiegabile. La tua elettricità e l'elettricità di quella persona si sentono vicine, simili, dello stesso tipo, in connessione l'una con l'altra, ecco perché stai vivendo questa esperienza.

Nella vita umana ci sono tre tipi di rapporti. Esistono i rapporti intellettuali, che non possono essere molto profondi. Il rapporto tra docente e studente è di questo tipo. Esistono i rapporti d'amore, che sono più profondi di quelli intellettuali. I rapporti tra madre e figlio, tra fratelli, tra marito e moglie appartengono a questo secondo tipo: nascono dal cuore. Poi esistono rapporti ancora più profondi che scaturiscono dall'ombelico: questi rapporti io li chiamo "amicizie"; vanno più in profondità rispetto all'amore. L'amore può finire, l'amicizia non finisce mai. Domani potresti odiare coloro che oggi ami, ma un amico non può mai diventare tuo nemico. Se lo diventa, sappi che non è mai stato tuo amico. I rapporti di amicizia sono propri dell'ombelico: scaturiscono dai nostri livelli più profondi e sconosciuti.

Ecco perché il Buddha non disse alla gente di amarsi reciprocamente. Egli parlò di amicizia. Aveva un motivo per farlo; diceva che nella vita dovremmo avere degli amici. E qualcuno chiese al Buddha: «Perché non lo chiami amore?».

Il Buddha rispose: «L'amicizia è un sentimento molto più profondo dell'amore. L'amore può finire, l'amicizia non finisce mai».

L'amore lega, l'amicizia dà la libertà. L'amore può renderti schiavo. Può possederti, può diventare il tuo padrone. L'amicizia non diventa padrona di nessuno, non trattiene nessuno; non imprigiona, ma libera. L'amore diventa un legame, perché l'amante insiste nel pretendere che l'altro non ami nessuno al di fuori di lui.

L'amicizia non ha una simile insistenza. Un uomo può avere migliaia di amici, milioni di amici, perché l'amicizia è un'esperienza davvero vasta e profonda. Scaturisce dal centro più profondo della vita; ecco perché l'amicizia, alla fine, diventa la strada maestra per condurvi verso il divino. Qualcuno che è amico di tutti prima o poi raggiungerà il divino, perché ha rapporti con il centro nell'ombelico di ciascun uomo. E, un giorno o l'altro, entrerà inevitabilmente in contatto con il centro dell'ombelico dell'universo.

Nella vita i nostri rapporti non dovrebbero essere puramente intellettuali e non dovrebbero provenire solo dal cuore; dovrebbero essere più profondi, dovrebbero provenire dall'ombelico.

Per ora non è chiaro in nessuna parte del mondo, ma prima o poi diventerà chiaro e arriveremo a capire che noi siamo connessi con sorgenti di energia vitale lontanissime, che non possiamo vedere. Sappiamo che la Luna è lontanissima da noi, tuttavia l'oceano subisce una sua influenza sconosciuta: le onde dell'oceano salgono e si abbassano, influenzate dalla Luna. Sappiamo che il Sole è lontanissimo da noi, tuttavia è connesso alla vita sulla

Terra da fili invisibili: quando il Sole sorge al mattino, nella vita accade una rivoluzione! Tutto ciò che era addormentato, tutto ciò che giaceva come fosse morto, tutto ciò che era inconscio comincia a diventare consapevole. Tutto ciò che era addormentato comincia a svegliarsi: i fiori sbocciano e gli uccelli cantano. Un flusso invisibile proveniente dal Sole influenza tutti gli esseri viventi.

Esistono molte altre sorgenti di energia vitale che ci raggiungono in questo modo: interagiscono continuamente con la nostra vita. Non solo il Sole, non solo la Luna, non solo le stelle nel cielo, ma la vita stessa ha un flusso di energia che è assolutamente invisibile e che raggiunge e influenza continuamente i nostri centri vitali. Più i nostri centri sono ricettivi più questa energia riesce a influenzare la nostra vita. Meno i nostri centri sono ricettivi e meno questa energia riesce a influenzarli.

Il Sole sorge e i fiori sbocciano, ma se costruissimo un muro intorno al fiore e se i raggi del Sole non riuscissero a raggiungerlo, il fiore non sboccerebbe, appassirebbe. Chiuso tra quelle mura, il fiore appassirebbe; il Sole non potrebbe penetrare a forza, per farlo sbocciare. Il fiore deve essere consenziente, deve essere pronto. Il fiore deve dare al Sole l'opportunità di lambirlo e di farlo sbocciare.

Il Sole non può andare in cerca di ogni fiore, non può tentare di vedere se un fiore è nascosto dietro un muro così da raggiungerlo. Il Sole non sa neppure che i fiori esistono. È un processo vitale assolutamente inconscio: il Sole sorge, i fiori sbocciano. Se un fiore è racchiuso tra le mura non sboccia, appassisce e muore.

L'energia vitale fluisce da tutte le direzioni, ma coloro che non hanno i loro centri vitali aperti, sono deprivati da questo flusso, senza neppure saperlo. Non si rendono neppure conto che questa energia vitale era presente e avrebbe potuto influenzarli; che c'era qualcosa di nascosto nel loro essere che avrebbe potuto schiudersi. Non lo sapranno mai! Questa fioritura del centro nell'ombelico – che fin dai tempi più antichi è stata chiamata "fior di loto" – è chiamata "fior di loto" perché ha la possibilità di sbocciare: una certa energia vitale può aprirlo.

Questo schiudersi necessita di una preparazione. Perciò il nostro centro dovrebbe essere ricettivo ai cieli aperti e noi dovremmo prestargli tutta la nostra attenzione. In questo modo, l'energia vitale disponibile può raggiungere il nostro centro nell'ombelico e dargli vita. Questa mattina vi ho già detto alcune cose in merito.

Come è possibile, come può essere possibile che il centro della vostra vita diventi un fiore che sboccia, in modo che il flusso invisibile di energia che vi circonda possa connettersi con esso? In che modo accadrà? Vi ho già ricordato alcune cose, e ora vi parlerò di altre, così domani potremo affrontare il secondo punto.

Il primo punto: la vostra respirazione... Più è profonda più sarete in grado di lavorare sul vostro ombelico e di svilupparlo. Ma voi non avete alcuna idea al riguardo. Non conoscete neppure l'ampiezza o l'esiguità del vostro respiro; né sapete quanto respiro vi è necessario. Più preoccupazioni avete più vi riempite di pensieri; e forse non siete consapevoli che, più la vostra mente è carica di pensieri, meno fluida e profonda è la vostra respirazione: viene impedita.

Non avete mai osservato che, quando siete in collera, la respirazione avviene in un modo, mentre quando siete calmi, avviene in un modo diverso? Non avete mai osservato che, quando la mente è invasa da un intenso desiderio sessuale, la respirazione assume un ritmo, mentre quando la mente è occupata da sensazioni piacevoli e rilassanti, avviene in un modo diverso? Non avete mai osservato che in una persona malata la respirazione assume un ritmo, mentre in una persona sana ne ha un altro? Il flusso del respiro cambia da un momento all'altro, in base allo stato della mente.

È vero anche il contrario: se il flusso del respiro è assolutamente armonioso, lo stato della mente cambia. O cambi la tua mente e di conseguenza cambia il ritmo della tua respirazione, oppure cambi il ritmo della tua respirazione e questo cambia la tua mente.

Per chiunque voglia sviluppare e influenzare i propri centri vitali la prima cosa è la respirazione ritmica. Mentre sei seduto, in piedi o cammini, la tua respirazione dovrebbe essere così armoniosa, calma e profonda da permetterti di sperimentare una musica diversa, una diversa armonia del tuo respiro, di giorno come di notte. Camminando per la strada, senza fare nulla in particolare, potrai sentirti beato. Se respirassi profondamente, silenziosamente e in modo armonioso avresti due benefici. Quando la respirazione è armoniosa i tuoi pensieri diminuiscono, in pratica nella mente non hai più pensieri; e se la tua respirazione diventerà assolutamente armoniosa, i pensieri spariranno del tutto. La respirazione influenza i pensieri in modo profondo e ampio. Non costa nulla respirare correttamente e non devi impiegare tempo extra per farlo. Seduto in treno, camminando per la strada o seduto in casa, se continui a respirare in modo calmo e profondo, nel giro di pochi giorni questo processo diventerà spontaneo. Non ne sarai neppure consapevole: il tuo respiro sarà calmo e profondo, spontaneamente.

Più il flusso del respiro è calmo e profondo, più il tuo centro nell'ombelico si sviluppa. Con ogni respirazione, il respiro colpisce il centro nell'ombelico. Se il respiro entra ed esce al di sopra del centro nell'ombelico, piano piano quel centro si impigrisce e si indebolisce, proprio perché il respiro non lo colpisce.

Anticamente la gente trovò delle chiavi, una formula per la respirazione. Ma l'uomo è così poco intelligente che cominciò a ripetere le formule senza capirne il significato, senza comprenderle. Sarebbe come se gli scienziati, che hanno scoperto la formula dell'acqua, $H_2O$, si limitassero a ripeterla. In fisica, si dice che unendo idrogeno e ossigeno, si crea l'acqua: due atomi di idrogeno più uno di ossigeno danno la formula $H_2O$. Ma se qualcuno cominciasse a ripetere «$H_2O$, $H_2O$» – proprio come la gente ripete: «Rama, Rama; aum, aum» – diremmo che è pazzo, infatti che cosa potrebbe mai accadere ripetendo una formula? Una formula indica semplicemente qualcosa; solo se capite di che cosa si tratta, la formula assume un significato.

Spesso si ascoltano persone che se ne stanno sedute a ripetere il suono dell'aum. Non sanno che aum è una formula simile a $H_2O$. Nell'aum ci sono tre lettere: a, u, m. Forse non vi siete mai resi conto che, se chiudete la bocca e ripetete a voce alta, con la bocca chiusa: «Aaa», sentite risuonare questo suono nella testa. "A" è un'indicazione del centro nella testa. Se ripetete a voce alta, a bocca chiusa. «Uuu», sentite risuonare questo suono nel cuore. "U" è un'indicazione del centro nel cuore. Se ripetete a voce alta, a bocca chiusa: «Mmm», la terza lettera di "aum", sentite risuonare questo suono vicino all'ombelico. "A", "u", "m" sono tre suoni che indicano i centri nella testa, nel cuore e nell'ombelico. Se emettete il suono «mmm», sentirete tutta la sua forza nell'ombelico. Con il suono «uuu», sentirete che tutta la sua forza si dirige nel cuore. Il suono «aaa» risuonerà nella testa e scomparirà.

Si tratta di una formula. Devi andare dalla "a" alla "u" e dalla "u" alla "m". Ripetendo semplicemente «aum» non accadrà niente. Quindi dobbiamo prestare tutta la nostra attenzione ai processi che ci conducono in questa direzione: dalla "a" alla "u" e dalla "u" alla "m". La respirazione profonda è il primo di questi processi. Più il tuo respiro diventa profondo e armonioso, più entra in sintonia e più in te comincerà ad affiorare l'energia vitale, irradiandosi dall'ombelico, che diventerà un centro vivo.

Nel giro di pochi giorni, comincerai a sentire la presenza di un'energia che sgorga dall'ombelico e sentirai anche la presenza di un'energia che entra nell'ombelico. Scoprirai che un centro estremamente vitale e dinamico si sta sviluppando vicino al tuo ombelico. Non appena farai questa scoperta, intorno a questo centro cominceranno ad accadere molte esperienze.

Fisiologicamente, la respirazione è il primo elemento per sviluppare il centro nell'ombelico. Psicologicamente, alcune qualità sono utili per sviluppare questo centro. Questa mattina vi ho parlato della capacità di non cadere in preda alla paura. Più un uomo è pieno di paura e più diminuisce la sua capacità di raggiungere il centro nell'ombelico. Più un uomo è privo di paura e più si avvicina al suo centro nell'ombelico.

Perciò, questo è il mio suggerimento fondamentale: nell'educazione di un bambino non dovete mai dirgli, neppure per sbaglio, che non deve uscire perché fuori è buio, per esempio. Facendolo, non siete consapevoli che ferite il suo centro nell'ombelico irrimediabilmente. In verità, dovete dire al bambino di uscire nel buio, poiché l'oscurità lo sta chiamando. Se il fiume è in piena, non dite al bambino di non tuffarsi; forse non lo sapete, ma il bambino che osa tuffarsi nel fiume in piena sta sviluppando il suo centro nell'ombelico. Il centro nell'ombelico di un bambino che non osa tuffarsi nel fiume si indebolisce e la sua energia si affievolisce. Se il bambino vuole scalare una montagna, lasciatelo fare. Se vuole arrampicarsi su un albero, lasciatelo fare. Lasciatelo andare dovunque possa sperimentare l'avventura e la sua capacità di non cadere in preda alla paura. Anche se morisse qualche bambino ogni anno – scalando montagne o tuffandosi nei fiumi o arrampicandosi sugli alberi – non avrebbe alcuna importanza. Perché, se in una comunità tutti i bambini diventassero paurosi e mancassero della capacità di non cadere in preda alla paura, tutta quella comunità, sebbene sembri viva, in realtà sarebbe morta.

Questa disgrazia è accaduta in India. Noi parliamo tanto di religione, ma non sappiamo niente sul coraggio. Non sappiamo che, senza il coraggio, nessuna religione è possibile perché, senza coraggio, non può svilupparsi l'elemento centrale della vita. L'uomo ha bisogno di coraggio, gli occorre tantissimo coraggio per ergersi e guardare in faccia la morte. In India parliamo tanto di religione, ma la nostra paura della morte è sconfinata! In realtà, dovrebbe accadere il contrario: coloro che conoscono e percepiscono l'anima non dovrebbero avere alcuna paura della morte; perché la morte non esiste. Viceversa, voi che parlate tanto dell'anima avete una paura immensa della morte, un vero e proprio terrore.

Forse parlate tanto dell'anima perché avete paura della morte. Parlando dell'anima, trovate una certa consolazione nel convincervi che non morirete, perché l'anima è immortale. Forse parlate dell'anima perché avete paura: non vedo altra possibilità. Di fatto, dovreste sviluppare in voi l'assenza di paura. Dovreste sviluppare in voi un'immensa capacità di non cadere in preda alla paura. Pertanto, dovreste accogliere benevolmente tutte le opportunità che la vita vi offre di fronteggiare il pericolo.

Una volta qualcuno chiese a Nietzsche: «Come si può sviluppare la propria personalità?».

Egli rispose con una massima peculiare, che nessuno si sarebbe aspettato da lui. Disse: «Vivi pericolosamente! Vivi pericolosamente, se vuoi sviluppare la tua personalità».

Ma voi pensate che più vivrete nella sicurezza e meglio ve la caverete: avete un conto in banca, una casa, ci sono la polizia e l'esercito, non avete paura... Con tutte queste sicurezze potete avere una vita tranquilla, ma non vi rendete conto che con tutte queste precauzioni e tutte queste comodità siete diventati dei morti viventi. Essere dei morti viventi non ha senso, perché l'unica cosa che dà un significato alla vita è vivere pericolosamente. Vivere non ha altro significato. I cadaveri sono assolutamente sicuri: ormai non possono più neppure morire! Ormai nessuno può ucciderli, le loro tombe sono assolutamente sicure.

Un imperatore fece costruire un palazzo. Per sicurezza, nel palazzo fece aprire solo un portone d'ingresso. L'imperatore confinante andò a vederlo. Il palazzo gli piacque molto, e commentò: «Piacerebbe anche a me far costruire un palazzo come questo: è davvero sicuro! Nessun nemico può entrare in un palazzo simile». C'era un unico portone d'ingresso, dotato di grandi misure di sicurezza.

In occasione della partenza dell'imperatore in visita, l'altro imperatore, proprietario del palazzo in questione, diede una festa alla quale partecipò una folla straripante. L'imperatore in partenza dichiarò: «Vedere questo palazzo mi ha rallegrato molto. È una costruzione molto sicura, anch'io ne farò costruire uno simile».

In piedi accanto a lui c'era un vecchio che scoppiò in una risata. L'imperatore gli chiese: «Perché ridi?».

Il vecchio esclamò: «Se fai costruire un palazzo, non commettere lo stesso errore che ha fatto il nostro imperatore!».

«Quale errore?» gli chiese l'imperatore.

«Non costruire neppure un portone. Fa' chiudere tutte le porte! Solo allora sarai assolutamente al sicuro» rispose il vecchio.

L'imperatore ribatté: «Ma in questo caso diventerà una tomba!».

E il vecchio commentò: «Anche questo palazzo è diventato una tomba! Dovunque ci sia un unico ingresso, e misure di sicurezza come queste che allontanano radicalmente ogni pericolo, quella è una tomba».

Voi pensate che "assenza di paura" sia la capacità di non cadere in preda alla paura: questo è l'errore. Avere la capacità di non cadere in preda alla paura non è "assenza di paura". Di fronte alla paura, in chi ha la capacità di non caderne preda accade una cosa totalmente diversa, che non è l'assenza di paura. La capacità di non cadere in preda alla paura implica la presenza totale della paura *insieme* al coraggio per affrontarla. Ma la vostra vita è tale da non sviluppare questo coraggio.

Il mio suggerimento è questo: pregando nei templi non vi avvicinerete mai al divino. Viceversa, vi avvicinerete di certo al divino se risponderete all'invito che vi faranno le avventure della vita e la capacità di non cadere in preda alla paura: se procederete indomiti, quando il pericolo vi chiama, di certo raggiungerete un'intimità con il divino. Il centro nascosto dentro di voi, che ora è addormentato, si sveglia e diventa vigile nelle situazioni di pericolo e di insicurezza. Quel centro sente una sfida nel pericolo e nell'insicurezza, e in queste situazioni il centro nell'ombelico può svilupparsi.

Anticamente, i *sannyasin* – i ricercatori del Vero – accettavano questa insicurezza. Lasciavano la loro casa, non perché fosse sbagliato vivere in casa. In seguito, gli stupidi pensarono che i *sannyasin* lasciavano la loro casa perché era sbagliato viverci, e che abbandonavano mogli e figli perché costituivano un legame. Questa è una idea sbagliata. I *sannyasin* volevano semplicemente abbandonare la sicurezza. Volevano entrare in uno stato di insicurezza in cui non avevano sostegni, né amici, né familiarità e nessun lignaggio a cui appartenere. Andavano dovunque potessero incontrare la malattia, la morte, i pericoli, la povertà: volevano entrare in questo stato di insicurezza. Quindi chiunque sceglieva l'insicurezza era un *sannyasin*.

In seguito i *sannyasin* crearono per se stessi una grande sicurezza, maggiore di quella che circondava coloro che vivevano nella società! Colui che vive nella società deve guadagnarsi da vivere, ma il *sannyasin* non lo fa: quindi è ancora più sicuro. Si limita a ricevere – riceve gli abiti, riceve il luogo in cui vive – non deve fare alcunché. L'unica differenza è che queste cose non deve guadagnarle. Per lui sono finite anche le difficoltà e l'insicurezza di dover guadagnare denaro. Qualcun altro lo fa per lui, qualcun altro gli procura ciò che gli occorre; pertanto un *sannyasin* diventa simile a una persona legata a un piolo: questo è il motivo per cui non può più essere coraggioso. In questo mondo, un *sannyasin* sembra una persona del tutto priva di forza: non riesce a mostrare neppure un po' di coraggio.

Un *sannyasin* dice: «Sono un jaina»; un altro dice: «Sono hindu»; un altro ancora: «Sono musulmano». Può un *sannyasin* essere hindu, o jaina, o musulmano? Un *sannya-*

*sin* appartiene a tutti. Ma esiste un sottile terrore nel dire: «Io appartengo a tutti»; se lo dicesse, sarebbe come dichiarare che non appartiene a nessuno. E in questo caso coloro che gli danno il cibo e gli costruiscono la casa potrebbero non essere più suoi amici. Gli direbbero: «Tu non sei dei nostri. Tu appartieni a tutti, perciò puoi rivolgerti a tutti. Noi ti procuriamo ciò che ti occorre solo se sei un jaina». Oppure: «Noi ti procuriamo ciò che ti occorre solo se sei un musulmano. Noi siamo musulmani, quindi aiutiamo solo i monaci musulmani». Pertanto il monaco dichiara: «Io sono un musulmano», oppure: «Io sono un hindu». Questa è una ricerca di sicurezza. Questa è una ricerca di una nuova casa: il *sannyasin* ha lasciato la casa vecchia e ora ne vuole una nuova.

Perciò ai giorni nostri, questa è la situazione: le persone astute che vogliono una bella casa, non la costruiscono... diventano *sannyasin*! E dicono agli altri: «Voi non siete saggi, voi costruite le vostre case. Commettete peccati e forse andrete all'inferno!». Intanto ottengono che gli altri costruiscano case per loro, ci vivono e sono felici all'idea che andranno in paradiso e diventano virtuosi, fuggendo da tutte le difficoltà della vita. Dunque, a mio avviso questo tipo di ricercatori si sono semplicemente creati una propria sicurezza.

Ma il significato fondamentale del *sannyas*, della ricerca del Vero, è un anelito a vivere nel pericolo. Il suo significato fondamentale è questo: non avere rifugio, non avere compagnia, non avere certezze per il domani.

Mentre camminava nei pressi di un campo, Cristo disse ai suoi amici: «Vedete questi fiori che sono sbocciati nel campo? Non sanno se domani il Sole sorgerà oppure no. Non sanno se domani riceveranno acqua oppure no, ma oggi sono sbocciati in tutta la loro gloria».

Solo l'uomo si procura sicurezze per il domani e poi per dopodomani. Ci sono persone che decidono a priori come dovrà essere costruita la loro tomba. Coloro che pensano di essere saggi, creano a priori dei monumenti nei quali saranno accolti i loro cadaveri.

Voi tutti vi procurate sicurezze e dimenticate totalmente che, quando una persona si procura sicurezze per il domani, uccide il suo presente, proprio facendo simili preparativi. E domani farà preparativi per il giorno successivo e così ucciderà un'altra volta il suo presente. Ogni giorno cercherà di organizzare il giorno successivo e così continuerà a uccidere il momento presente, e all'infuori del momento presente non esiste altro! Il domani non arriva mai: quando arriva è il momento presente; eppure questa persona uccide il momento presente per provvedere al domani.

Questa è la natura di una mente in cerca di sicurezza: uccide il momento presente in funzione del domani. Sacrifica il presente per il futuro; e il futuro non arriva mai. Il domani non arriva mai. Alla fine scoprirà che tutta la vita gli è scivolata via dalle mani.

La persona che osa vivere oggi e che non si preoccupa affatto del domani, vive nel pericolo, poiché domani potrebbe essere in pericolo. Non esistono certezze in nessun campo. Sua moglie, che oggi l'ama, forse domani non l'amerà più; oppure suo marito, che oggi l'ama, forse domani non l'amerà più. Non esistono certezze per il domani. Oggi ha denaro, domani forse potrebbe non averne più; oggi ha vestiti, domani forse potrebbe non averne più. In colui che accetta totalmente questa insicurezza per il domani, aspetta di vedere che cosa accadrà e affronta qualsiasi cosa gli porterà il domani, si sviluppa un centro che io chiamo il centro nell'ombelico. In esso sorge un potere, un'energia, una potenza, una base che si erge simile a un pilastro di coraggio, sul quale la sua vita potrà crescere.

Perciò a livello fisico occorre una respirazione corretta e a livello psicologico occorre il coraggio. Questi due fattori sono fondamentali per lo sviluppo del centro nell'ombelico.

Se c'è qualcos'altro, oppure se volete farmi qualche domanda in proposito, tornerò su questi argomenti questa sera; adesso, prima che questa sessione finisca, devo dirvi un'altra cosa.

Sette o otto secoli orsono, in Giappone si tentò di creare un individuo del tutto particolare: fu chiamato samurai. Era un monaco e anche un guerriero. È molto strano: che rapporto può esserci tra un monaco e un guerriero? I templi giapponesi sono molto strani.

Negli stessi templi in cui si insegna meditazione, si insegna anche jujitsu, judo, karate, kendo e tiro con l'arco. Se andassimo a visitare quei templi, rimarremmo sorpresi! Che bisogno c'è di usare una spada in un tempio di meditazione? E l'insegnamento di jujitsu, di judo e di karate che rapporto può avere con la meditazione? Sulle facciate dei templi di meditazione sono effigiate delle spade. È un fenomeno davvero strano.

Ma c'è un motivo alla base di tutto ciò: in Giappone i meditatori hanno compreso che nel ricercatore, che non trova nella propria vita alcuna possibilità per sviluppare il coraggio e la forza, esiste solo la mente e gli altri centri più in profondità non si sviluppano. Quindi può solo diventare uno studioso, non potrà mai diventare un santo. Può diventare un cosiddetto pozzo di scienza. Può conoscere la *Gita*, il Corano, la Bibbia e le *Upanishad*, può imparare a memoria queste sacre scritture come un pappagallo, questa è la sua unica possibilità, ma non avrà alcuna esperienza di vita. Ecco perché si iniziò a insegnare al meditatore l'arte di usare la spada e l'arco.

Di recente, un mio amico è tornato dal Giappone. Qualcuno gli aveva regalato una statua che lo turbava molto, perché non riusciva a comprenderne il significato. È venuto a dirmi: «Qualcuno mi ha regalato questa statua, voglio mostrartela, perché mi turba... puoi spiegarmene il significato?». La statua raffigura un guerriero samurai.

Gli ho detto: «Non riesci a comprenderlo perché per migliaia di anni noi indiani abbiamo creato un malinteso».

La statua raffigura un guerriero samurai che con una mano brandisce una spada e con l'altra tiene una lampada. Il lato del viso che sovrasta la mano che brandisce la spada, riflette lo scintillio della lama: ricorda il volto di Arjuna; doveva avere proprio quella espressione. Nell'altra mano c'è una lampada e la luce che emana si riflette sul lato del viso sovrastante: questo secondo lato ricorda il volto del Buddha, o di Mahavira o di Cristo; dovevano avere proprio quella stessa espressione. Non potete comprenderne il significato, perché pensate che il samurai dovrebbe avere in mano una spada o una lampada. Come può un uomo tenere nelle mani entrambe le cose?

Perciò il mio amico mi ha chiesto: «Sono molto perplesso. Che cosa significa?».

Gli ho spiegato che la lampada può stare solo nella mano di una persona che nell'altra tenga una spada scintillante. Per una persona simile il problema non è *usare* la spada; solo gente debole e paurosa la usa. Una persona la cui vita sia diventata come una spada non ha bisogno di usarla, proprio perché tutta la sua vita *è* una spada.

Quindi non pensate che una persona che brandisce una spada la userà per ferire o per uccidere. Una persona uccide solo quando ha paura di essere uccisa, mai altrimenti. Una persona violenta in realtà è solo piena di paura. In realtà, solo una persona non violenta può tenere in mano una spada; di fatto, quando la persona stessa diventa una spada può essere solo non violenta!

Può beneficiare della lampada della pace solo l'uomo in cui è nata la spada del coraggio, in cui è nata la spada dell'energia e della forza.

Quindi da un lato l'individuo dovrebbe essere colmo della forza totale e dall'altro della pace totale, solo così può nascere un individuo integro e completo.

Finora nel mondo sono esistite due tipologie: esistono persone con la lampada in mano, che sono diventate assolutamente deboli, al punto da non essere in grado di fermare qualcuno che voglia spegnere la lampada, né di chiedergli perché voglia spegnerla. Costoro si limitano a pensare: "Quando questo tipo se ne sarà andato, riaccenderò di nuovo la mia lampada e se non dovesse andarsene rimarrò al buio; in entrambi i casi non ci sono problemi, perché dovrei prendermi la briga di resistergli?". Quindi, da un lato abbiamo una situazione in cui delle persone hanno in mano la lampada, ma non hanno alcuna forza per proteggerla.

L'India è diventata una nazione totalmente debole. Si è indebolita perché non abbiamo sviluppato i centri reali della nostra energia vitale. Abbiamo vissuto solo nella mente, imparando a memoria la *Gita*, le *Upanishad* e i detti di Mahavira, continuando a commentarli. Il Maestro e il discepolo se ne stanno seduti da sempre, parlando di migliaia di cose inutili che non hanno alcun riferimento con la vita. Tutta la nostra nazione, tutta la nostra razza è andata indebolendosi, non ha più alcuna forza. È diventata impotente.

Dall'altro lato, ci sono persone che hanno smesso di prendersi cura della lampada, hanno brandito la spada e hanno cominciato a usarla. Poiché non avevano la lampada, al buio non potevano vedere chi uccidevano; non sapevano neppure se uccidevano la loro stessa gente o qualcun altro.

Perciò hanno semplicemente continuato a uccidere e, se qualcuno diceva loro di accendere la lampada, rispondevano: «Non dire assurdità! Il tempo che impiegherei per accendere la lampada, posso impiegarlo per usare la spada. Inoltre, posso costruire un'altra spada, utilizzando il metallo che servirebbe a costruire una lampada; perché si dovrebbe sciupare tanto olio e tanto metallo? Nella vita tutto ciò che conta è usare una spada».

In Occidente la gente usa le spade al buio e in Oriente la gente sta seduta con in mano una lampada, ma non ha alcuna spada. E tutti si lamentano, sia in Occidente sia in Oriente. Tutto il mondo si dispera.

L'uomo giusto non è ancora nato: l'uomo giusto è entrambe le cose, una spada vivente e una lampada di pace. Io definisco qualcuno "una persona religiosa" quando nel suo essere sono vive entrambe le realtà.

Oggi abbiamo parlato di questi primi punti. Sarebbe una buona cosa se nella vostra mente sorgessero molte domande in proposito: dovrebbero sorgere. Se mi scriverete le vostre domande, potrò rispondervi questa sera. Domani poi, cominceremo a discutere su altri punti. Perciò formulate le domande solo sugli argomenti che abbiamo trattato oggi, non chiedete altro. Domani discuteremo su altri punti e voi potrete formulare domande solo su quelli. Dopodomani tratteremo altri punti ancora e allora potrete formulare nuove domande solo su di essi. Ma sarebbe meglio che oggi formulaste domande solo sugli argomenti che ho appena trattato. Se qualcuno tra voi avrà altre domande che non riguardano i miei discorsi di questi primi tre giorni, potrà farle l'ultimo giorno, a quel punto potremo parlarne.

*Terzo discorso*

# L'ombelico è la sede della volontà

Amici carissimi,

come può l'uomo centrare la vita nel proprio essere, come può sperimentare se stesso, come può conseguire il proprio Sé? Ne abbiamo parlato nei due precedenti discorsi di oggi e in merito mi avete posto molte domande. Rispondendo, vi parlerò di altri tre punti. Domani e dopodomani risponderò alle domande che non riguardano gli argomenti trattati oggi. Ora risponderò alle domande relative al tema di oggi, dividendole in tre punti.

Il primo punto riguarda il modo in cui l'uomo dovrebbe cominciare a vivere la propria vita, fondandosi sul centro nell'ombelico: centrato nel proprio Sé, centrato nel proprio essere. Prima però vorrei esporre altri tre modi significativi, utili a risvegliare l'energia addormentata nell'ombelico. Una volta risvegliata, quell'energia diventa la soglia che vi conduce a sperimentare una consapevolezza diversa dal vostro corpo. Elencherò questi tre punti e poi ne parleremo.

Il primo è: una dieta appropriata; il secondo è: una giusta quantità di lavoro; il terzo è: un sonno ottimale. Colui che non adotta una dieta appropriata, che non svolge un lavoro adatto a sé e che non dorme nel modo giusto non potrà mai centrarsi nell'ombelico. E l'uomo ha perso il contatto con queste tre cose.

La specie umana è la sola che non ha una dieta prevedibile. La dieta di tutti gli altri animali è prestabilita. I loro bisogni fisici fondamentali e la loro natura decidono che cosa devono o non devono mangiare, le quantità di cibo che devono o non devono ingerire, quando devono mangiare e quando devono smettere. Ma l'uomo è assolutamente imprevedibile, la sua dieta non è affatto stabilita: la sua natura non gli dice che cosa dovrebbe mangiare, la sua consapevolezza non gli suggerisce quanto dovrebbe mangiare, né quando dovrebbe smettere. Poiché nessuna di queste azioni dell'uomo è prevedibile, la sua vita ha imboccato direzioni molto incerte. Tuttavia un uomo dotato anche solo di un minimo di comprensione e che inizia a usare un po' di intelligenza, riflettendo su questo problema e aprendo un minimo i suoi occhi, non troverà alcuna difficoltà nel mutare il suo modo di nutrirsi, adottando una dieta appropriata. È molto facile, niente potrebbe essere più facile. Per comprendere che cosa sia una dieta appropriata, la divideremo in due parti.

La prima: l'uomo che cosa dovrebbe mangiare e che cosa non dovrebbe mangiare? Il corpo umano è un insieme di elementi chimici: l'intero processo fisiologico è basato sulla chimica. Se beviamo dell'alcol, il nostro corpo ne sarà influenzato chimicamente: rimarrà intossicato, cadrà nell'inconsapevolezza. Per quanto l'uomo sia sano, per quanto sia tranquillo, il suo corpo risulterà chimicamente intossicato. Per quanto l'uomo sia santo, se verrà avvelenato, morirà.

Socrate morì per avvelenamento e Gandhi morì colpito da una pallottola. Una pallottola non vede se l'uomo è un santo o se è un peccatore; né il veleno vede se l'uomo è

Socrate o se è una persona comune. Né le sostanze pericolosamente tossiche, né i veleni, né il cibo vedono chi o che cosa sei tu. Le loro funzioni sono fisse e dirette: interagiscono con la chimica del corpo e fanno il loro lavoro. Pertanto, ogni cibo che intossica comincia a fare danni e a creare disturbi nella consapevolezza dell'uomo. È nocivo ogni cibo che produca nell'uomo qualsiasi tipo di inconsapevolezza, ogni sorta di eccitazione, di stato alterato o di disagio. E il danno più profondo, il danno estremo accade quando quegli effetti nocivi cominciano a raggiungere l'ombelico.

In tutto il mondo si usano cure naturali per guarire il corpo, come l'applicazione di fanghi, le diete vegetariane, le diete leggere, l'immersione in bagni termali; tuttavia nessun naturopata ha ancora compreso che gli effetti benefici ottenuti da quelle cure non sono dovuti tanto alle loro speciali proprietà, quanto piuttosto all'influenza che esercitano sul centro nell'ombelico. E il centro nell'ombelico influenza poi il resto del corpo. Tutte queste cure si limitano infatti a influenzare l'energia addormentata in quel centro e quando questa energia inizia a fluire, la persona comincia a guarire.

Ma la naturopatia non è ancora consapevole di questa realtà. I naturopati pensano che forse questi effetti benefici provengano dai fanghi, dai bagni termali, dalle diete! I malati hanno benefici, ma i benefici reali provengono dal risveglio dell'energia addormentata nel centro nell'ombelico.

Se quel centro è trattato nel modo sbagliato, se segui una dieta sbagliata e ingerisci cibi sbagliati, a poco a poco questo centro si addormenta e la sua energia si indebolisce. A poco a poco questo centro cede al sonno. Alla fine, in pratica si addormenta; in quel caso non siamo neppure consapevoli che nell'ombelico ci sia un centro. A quel punto siamo consapevoli di avere solo due centri: uno nella mente, in cui si muovono continuamente i pensieri, e l'altro più piccolo nel cuore, in cui si muovono le emozioni.

Non siamo in contatto con altri centri più in profondità. Perciò più il cibo è leggero, minore è la pesantezza che crea nel corpo e più il suo contributo è importante e valido per iniziare il nostro viaggio interiore.

Per una dieta corretta, la prima cosa da ricordare è che non deve creare eccitazione, non deve intossicare, non deve essere pesante. Al termine di un pasto sano non dovresti sentire né pesantezza, né senso di soffocamento. Ma probabilmente tutti noi sentiamo pesantezza e senso di soffocamento dopo i pasti; in questo caso è bene comprendere che mangiamo nel modo sbagliato.

Nella sua autobiografia un grande medico, Kenneth Walker, scriveva che le esperienze di tutta la sua vita gli avevano insegnato una cosa: solo metà di tutto ciò che le persone mangiano riempie il loro stomaco, l'altra metà riempie lo stomaco dei medici! Se la gente mangiasse la metà di ciò che mangia normalmente non si ammalerebbe e non avrebbe bisogno dei medici.

Ci sono persone che si ammalano perché non si nutrono a sufficienza e persone che si ammalano perché mangiano troppo. C'è gente che muore di fame e c'è gente che muore per ipernutrizione. Il numero di coloro che muoiono perché mangiano troppo ha sempre superato il numero di coloro che muoiono di fame. Il numero di coloro che muoiono di fame è esiguo: se anche un uomo volesse lasciarsi morire di fame impiegherebbe circa tre mesi; infatti, si può vivere per tre mesi senza mangiare. Ma se un uomo si nutre in modo eccessivo per tre mesi non ha alcuna possibilità di sopravvivere.

Nella storia sono esistite persone che avevano idee davvero strane. Un grande imperatore romano, Nerone, aveva assunto due medici con l'unico compito di farlo vomitare dopo ogni pasto, in modo che potesse avere il piacere di mangiare da quindici a venti volte al giorno. Consumava un pasto, poi prendeva una medicina che gli procurava il vomito, così poteva ricominciare a mangiare! Ma ciò che facciamo noi non è molto diverso.

Nerone poteva avere due medici a palazzo, perché era un imperatore. Noi non siamo imperatori, ma abbiamo medici nelle vicinanze. Nerone si procurava il vomito ogni giorno e noi ci procuriamo il vomito di tanto in tanto. Mangiamo in modo sbagliato e accumuliamo ogni sorta di tossine. Poi il medico ci prescrive un depurativo che ci rimette in sesto, e subito dopo noi ricominciamo a nutrirci in modo errato. Nerone era un uomo saggio: aveva stabilito di depurarsi ogni giorno. Noi lo facciamo solo di tanto in tanto. Se fossimo imperatori, agiremmo come Nerone, ma non possiamo: non abbiamo le possibilità finanziarie per farlo. Ridiamo di Nerone, ma in un certo senso non siamo tanto diversi da lui.

Le nostre abitudini sbagliate nei confronti del cibo stanno diventando pericolose per la nostra salute. È provato che ci costano molto care, e ci hanno portato al punto di essere vivi per miracolo! Non sembra che il cibo che ingeriamo ci mantenga in salute, sembra piuttosto che ci faccia ammalare, e questo è sorprendente. Sarebbe come se il Sole, sorgendo al mattino, creasse le tenebre: sarebbe un evento ugualmente strano e sorprendente. Ma tutti i medici del mondo sono dell'opinione che la maggioranza delle malattie nell'uomo sono causate da una nutrizione sbagliata.

Quindi, in primo luogo, ciascuno dovrebbe essere attento alla propria nutrizione. E lo dico in modo speciale per i meditatori. È necessario che un meditatore rimanga consapevole di quello che mangia, di quanto mangia e degli effetti che il cibo produce nel suo corpo. Se farete un esperimento di consapevolezza in questo senso per qualche mese, scoprirete certamente quali sono i cibi adatti a voi: quali cibi vi danno tranquillità, pace e salute. Non ci sono difficoltà reali ma, se non prestate mai attenzione a ciò che mangiate, non sarete mai in grado di scoprire i cibi adatti a voi.

La seconda cosa, rispetto al cibo, è che lo stato della vostra mente mentre mangiate è più importante di ciò che ingerite. Il cibo vi influenza in modo diverso se mangiate con gioia e se siete felici oppure se mangiate colmi di tristezza e di preoccupazioni.

Se mangiate quando siete colmi di preoccupazioni, anche il migliore dei cibi avrà effetti tossici sul vostro organismo. Se mangiate con gioia, può accadere che anche un veleno non riesca ad avere un effetto devastante sul vostro organismo: è più che probabile. Perciò mentre mangiate è importante lo stato della vostra mente.

In Russia è vissuto un grande psicologo, Pavlov, che ha fatto alcuni esperimenti sugli animali, arrivando a conclusioni sorprendenti. Ha fatto esperimenti sui gatti e sui cani. Ha dato del cibo a un gatto poi, con una radioscopia, ha osservato che cosa accadeva al gatto dopo aver mangiato. Quando il cibo arrivò nello stomaco del gatto, vide che questo cominciava a secernere il succo gastrico; in quel preciso istante fece portare un cane davanti alla portafinestra della stanza in cui stava il gatto. Il cane si mise ad abbaiare e il medico vide mediante la radioscopia che nello stomaco del gatto era cessata di colpo ogni secrezione di succo gastrico. Lo stomaco si chiuse, si rimpicciolì.

A questo punto il cane fu portato via, ma lo stomaco del gatto rimase in quello stato per sei ore. La digestione non riprese e il cibo rimase indigerito nello stomaco per sei ore; dopo, quando il succo gastrico ricominciò a fluire, il cibo non era più digeribile: si era solidificato. Nell'istante in cui la mente del gatto si era preoccupata per la presenza di un cane, il suo stomaco aveva cessato di colpo il proprio lavoro.

Ma qual è la vostra situazione? Voi vivete preoccupandovi per ventiquattr'ore al giorno. È un miracolo che il vostro stomaco digerisca il cibo che ingerite e che l'esistenza riesca a far sì che la digestione avvenga, malgrado voi stessi! Non avete alcuna voglia di digerire ciò che mangiate. La digestione che avviene in voi è un assoluto miracolo, e lo è anche il vostro rimanere in vita!

Lo stato della vostra mente dovrebbe essere colmo di grazia e di beatitudine; ma nella vostra casa, la tavola da pranzo è il luogo più tetro. La moglie ha atteso per tutto il giorno il ritorno a casa del marito per la cena e tutto il malessere emotivo, da lei accumulato nelle ultime ventiquattr'ore, esplode proprio mentre il marito mangia. La moglie non sa che si sta comportando come una nemica. Non sa che sta versando veleno nel piatto del marito.

Anche il marito è turbato e preoccupato, dopo un'intera giornata di lavoro, e butta in qualche modo il cibo nello stomaco, poi esce. Non ha idea che l'atto di cibarsi, terminato in fretta per scappare via subito dopo, sarebbe dovuto essere simile a una preghiera; non era un atto da compiere con tanta fretta. Avrebbe dovuto avere lo stesso ritmo di colui che entra in un tempio e si inginocchia per pregare; o di colui che si siede per suonare la vina; o di colui che canta una serenata all'amata. Questo atto è ancora più importante: egli sta dando nutrimento al proprio corpo. Dovrebbe compiere questo atto in uno stato di profonda beatitudine; dovrebbe essere un atto amorevole, simile a una preghiera.

Mentre mangi, più riesci a essere felice, gioioso, rilassato e privo di preoccupazioni, e più il cibo che hai ingerito diventa il nutrimento giusto per te.

Una dieta è violenta non solo quando mangi cibi non-vegetariani, ma anche quando mangi con rabbia. Entrambe le cose sono violente. Quando mangi pieno di collera e attanagliato dalla sofferenza e dalle preoccupazioni, mangi in modo violento. Non ti rendi affatto conto che così come sei violento mentre mangi della carne, sei altrettanto violento mentre la tua stessa carne brucia per la collera e le preoccupazioni. Anche in questo caso, il cibo che ingerisci non può essere non-violento.

Pertanto, questo è il secondo elemento di una dieta giusta: dovreste mangiare in uno stato di grande calma e di grande gioia. Se non siete in questo stato, è meglio che aspettiate fino a quando non vi sentite calmi, è meglio che non mangiate per un po' di tempo. Dovreste consumare il vostro pasto solo quando sentite che la mente è assolutamente pronta per farlo. Quanto tempo occorrerà alla vostra mente per esserlo? Se siete abbastanza consapevoli da aspettare, la mente può rimanere disturbata al massimo per un giorno; ma voi non vi siete mai curati dello stato della vostra mente: avete ridotto a un processo totalmente meccanico l'ingestione del cibo. Buttate del cibo nello stomaco e poi vi alzate da tavola: non è più un processo psicologico e questo è pericoloso.

A livello fisico, il cibo giusto per te dovrebbe essere sano, non eccitante e non violento; a livello psicologico, la tua mente dovrebbe essere in uno stato di beatitudine, di grazia e di gioia; a livello dell'anima dovresti sentirti colmo di gratitudine e di riconoscenza. Queste tre cose fanno del cibo ingerito il giusto nutrimento.

Dovresti avere nel cuore questi sentimenti: «Poiché oggi ho il cibo a mia disposizione, mi sento grato. Mi è stato concesso un altro giorno di vita, mi sento profondamente grato. Questa mattina mi sono svegliato di nuovo alla vita, oggi il Sole mi ha illuminato ancora, questa sera posso ancora ammirare la Luna... ho vissuto un altro giorno! Non era necessario che io vivessi un altro giorno, oggi sarei potuto essere già nella tomba, ma mi è stato concesso un altro giorno di vita. Non l'ho guadagnato, mi è stato donato!». Quantomeno per questi motivi, dovresti avere nel cuore sentimenti di riconoscenza e di gratitudine. Mangi il cibo, bevi l'acqua, respiri: dovresti avere un senso di gratitudine per tutto ciò. Dovresti avere un senso di gratitudine verso la vita intera, verso tutto il mondo, verso l'intero universo, verso la natura e verso il divino: «Ho ricevuto in dono un giorno in più da vivere. Ancora una volta ho ricevuto il cibo per nutrirmi. Ho ricevuto un altro giorno per vedere il Sole e i fiori che sbocciano. Oggi sono ancora vivo!».

Rabindranath Tagore due giorni prima di morire esclamò: «Signore, come ti sono grato! Dio, come potrò esprimerti la mia gratitudine? Tu mi hai dato questa vita, quando non avevo alcun merito per riceverla. Mi hai dato il respiro, quando non avevo alcun diritto di respirare. Mi hai fatto vivere l'esperienza della bellezza e della beatitudine, che non avevo affatto guadagnato. Ti sono oltremodo riconoscente. Sono sopraffatto dalla tua grazia. E se in questa vita che tu mi hai donato posso aver ricevuto dolore, sofferenza e preoccupazioni, la colpa deve essere stata mia, perché la vita che tu mi hai dato è colma di beatitudine. La colpa deve essere stata mia, perciò non ti chiedo di liberarmi dalla vita. Se mi ritieni degno, fammi tornare a vivere ancora e di nuovo. La vita che tu mi hai dato è colma di beatitudine e io ti sono immensamente grato per avermela donata».

Questo sentimento, questo sentimento di gratitudine dovrebbe essere presente in tutti gli aspetti della vostra vita, in particolare nei confronti del cibo. Solo così il cibo che ingerite diventa la giusta dieta.

Il secondo punto è: una giusta quantità di lavoro. Anche il lavoro non è più una parte essenziale della vostra vita. Il lavoro manuale è diventato un atto vergognoso.

Un pensatore occidentale, Albert Camus, in una delle sue lettere ha scritto scherzosamente che verrà un giorno in cui le persone chiederanno ai loro camerieri di fare l'amore al loro posto. Quando qualcuno si innamorerà di una donna, darà l'incarico al proprio cameriere di sostituirlo nel fare l'amore. Un giorno potrebbe accadere! Avete già cominciato: fate fare agli altri praticamente tutto, fare l'amore è l'unica cosa che fate ancora in prima persona. Incaricate qualcun altro di pregare per voi; assumete un prete e gli dite di pregare e di compiere i riti, in vostra vece: avete perfino degli stipendiati che pregano e adorano per vostro conto! Quindi se avete degli stipendiati che pregano in vostra vece, non è poi così impensabile che un giorno persone sagge possano ordinare ai loro camerieri di fare l'amore al posto loro. Che difficoltà ci sarebbe? E coloro che non potranno permettersi simili servizi si vergogneranno di essere così poveri da dover fare l'amore essi stessi.

È possibile che in futuro accada, perché ci sono già molte cose importanti nella vita che ora fate fare ai vostri servi! E non siete per niente consapevoli di quanto avete perso, lasciando perdere quelle cose importanti. L'uomo ha perso tutta la forza e la vitalità della vita, perché il suo corpo e il suo essere sono stati costruiti per fare una certa mole di lavoro, mentre all'uomo moderno tutto questo lavoro viene risparmiato.

Anche la giusta quantità di lavoro è una parte essenziale per il risveglio della consapevolezza e dell'energia nell'uomo.

Un mattino, Abraham Lincoln era in casa e stava lucidando le sue scarpe. Uno dei suoi amici, andato a fargli visita, allibì: «Lincoln! Ma che cosa fai? Lucidi le tue scarpe?».

Lincoln gli rispose: «Tu mi stupisci! Tu lucidi forse le scarpe degli altri? Io sto lucidando le mie scarpe; tu lucidi quelle degli altri?».

L'amico precisò: «No, no, io mi faccio lucidare le scarpe dagli altri!».

E Lincoln commentò: «Che tu ti faccia lucidare le scarpe dagli altri è ancora peggio che se tu le lucidassi agli altri».

Che cosa significa? Significa che noi stiamo perdendo il contatto diretto con la vita, un contatto che abbiamo grazie al lavoro che facciamo.

Una volta Confucio, quando era in vita tremila anni fa, andò a visitare un villaggio. In un giardino vide un vecchio giardiniere e suo figlio che attingevano l'acqua dal pozzo. Per il vecchio attingere l'acqua dal pozzo era molto faticoso, anche con l'aiuto del figlio. E l'uomo era davvero *molto* vecchio!

A Confucio venne il dubbio che il vecchio giardiniere non sapesse che ormai si usavano i buoi e i cavalli per estrarre l'acqua dai pozzi, infatti stava attingendola egli stesso. Usava ancora quel metodo sorpassato!

Perciò Confucio si avvicinò al vecchio e gli disse: «Amico! Non sai che hanno inventato un metodo nuovo? La gente attinge l'acqua dai pozzi con l'aiuto di buoi e di cavalli. Perché l'attingi da solo?».

Il vecchio rispose: «Parla sottovoce, parla sottovoce. Io non sono interessato a ciò che mi dici; ma ho paura che mio figlio, che è giovane, possa udirti».

Confucio gli chiese: «Che cosa intendi dire?».

Il vecchio gli spiegò: «So che esiste quella invenzione, ma tutte le invenzioni come quella allontanano l'uomo dal lavoro fisico. Non voglio che mio figlio se ne allontani, poiché il giorno in cui si staccherà dal lavoro materiale perderà la connessione con la vita stessa».

La vita e il lavoro sono sinonimi. La vita e il lavoro hanno lo stesso significato. Ma, a poco a poco, voi avete cominciato a definire "fortunati" coloro che non devono fare il lavoro materiale e "sfortunati" coloro che devono usare la fatica fisica per lavorare. In un certo senso ormai è proprio così: molte persone hanno smesso di lavorare manualmente, perciò altre devono lavorare troppo. Troppo lavoro materiale uccide l'uomo, ma lo uccide anche una scarsa fatica fisica. Di conseguenza, vi consiglio una giusta quantità di lavoro, la distribuzione appropriata del lavoro fisico. Ognuno dovrebbe fare del lavoro fisico. Più è intenso, beato e colmo di gratitudine il modo in cui l'uomo lascia che il lavoro fisico entri a far parte della sua vita, e più scopre che l'energia vitale ha cominciato a scendere dal cervello e si sta avvicinando all'ombelico. L'energia per lavorare materialmente non proviene né dal cervello né dal cuore; quell'energia proviene direttamente dall'ombelico: questa è la sua sorgente.

Insieme alla dieta giusta, è assolutamente necessario

un po' di lavoro fisico. E non devi compiere il lavoro fisico nell'interesse degli altri; non devi pensare che, se servi il povero, il tuo lavoro andrà a beneficio del povero; se vai in un villaggio per lavorare nei campi, il tuo lavoro andrà a beneficio del contadino; se compi un lavoro, rendi un grande servizio alla società. Queste sono tutte falsità. Tu lavori per il tuo bene, non per il bene degli altri. Non devi lavorare materialmente per beneficiare gli altri; è possibile che qualcun altro ne tragga beneficio, ma il tuo lavoro fisico serve innanzitutto al tuo benessere.

Dopo che Churchill si era ritirato dalla politica, un mio amico andò a fargli visita. Churchill, ormai vecchio, stava scavando delle buche nel suo giardino, per piantare certe piante. Il mio amico gli fece alcune domande sulla politica. Churchill gli rispose: «Lascia perdere! Ho chiuso con la politica. Ora se vuoi farmi delle domande, puoi farmele su questi due argomenti: sulla Bibbia, perché la leggo quando sto in casa e sul giardinaggio, perché lo pratico nel mio giardino. Ormai la politica non mi interessa più: quel tempo è passato. Ora lavoro e prego, e basta».

Quando il mio amico venne a riferirmi questo colloquio, mi disse: «Non capisco che tipo d'uomo sia Churchill. Pensavo che mi avrebbe dato delle risposte, invece mi ha detto che lavora e prega e basta».

Spiegai al mio amico: «Dire "lavoro *e* prego" è una ripetizione. Il lavoro e la preghiera significano la stessa cosa, sono sinonimi. Il giorno in cui il tuo lavoro diventerà preghiera e la tua preghiera diventerà lavoro, avrai trovato il lavoro giusto per te».

Un po' di lavoro fisico è assolutamente essenziale, ma voi non gli avete prestato la minima attenzione. In India neppure i *sannyasin* tradizionali hanno mai prestato la minima attenzione al lavoro fisico: si sono astenuti dal farlo, non si sono neppure posti il problema di lavorare. Sono andati semplicemente in un'altra direzione. I ricchi hanno smesso di fare lavori materiali, perché avevano il denaro e potevano pagare gli altri per farli; e i *sannyasin* hanno smesso di fare lavori materiali, perché non avevano più niente a che fare con il mondo. Non dovevano più creare niente, non dovevano più guadagnare denaro, a che scopo avrebbero dovuto lavorare? Il risultato è stato che due classi sociali rispettate si sono allontanate dal lavoro fisico; e pertanto coloro che erano costretti a svolgerlo, a poco a poco persero ogni rispettabilità.

Per un ricercatore del Vero il lavoro fisico ha una grande importanza e utilità, non perché con questo lavoro debba produrre qualcosa, ma perché più sei coinvolto in un lavoro e più la tua consapevolezza diventa centrata, cominciando a scendere dalla mente. Non è necessario che il lavoro sia produttivo, potrebbe essere anche improduttivo, un semplice esercizio, ma qualsiasi tipo di fatica fisica è assolutamente essenziale per l'agilità del corpo, per l'acutezza della mente e per il risveglio totale dell'essere. Questa è la seconda parte.

Ma potresti commettere degli errori anche qui. Proprio come potresti commettere degli errori nella dieta – mangiare troppo o troppo poco – potresti non fare alcun esercizio fisico oppure esagerare nel farlo. I lottatori fanno un esercizio fisico eccessivo: vivono in uno stato di malessere fisico. Un lottatore non è mai una persona sana: carica il corpo con una fatica eccessiva, abusa del proprio corpo. Se ne abusi, qualche muscolo può svilupparsi in eccesso, tuttavia non vivrai più a lungo: nessun lottatore vive a lungo! Nessun lottatore muore sano. Lo sapevate che tutti i lottatori, per quanto abbiano muscoli sviluppatissimi, muoiono prematuramente e per malattie gravissime? Abusare del proprio fisico può sviluppare i muscoli e può rendere il corpo una scultura bella da vedere e da esibire, ma c'è una grande differenza tra l'esibizionismo e la vita. C'è una grande differenza tra vivere con un corpo sano ed essere un esibizionista.

Ciascuno di voi dovrebbe scoprire, in base al proprio essere e al proprio corpo, la quantità di lavoro fisico che dovrebbe fare per vivere più sano e più vitale. Più ossigeno entrerà nel tuo corpo, più ogni tuo respiro sarà estatico, maggiore sarà la vitalità che avrai a disposizione per esplorare la dimensione interiore.

Simone Weil, una filosofa francese, nella sua biografia ha scritto una cosa meravigliosa: «Fino a trent'anni ero sempre ammalata. Non avevo salute e soffrivo di continue cefalee. Ma solo all'età di quarant'anni compresi che fino ai trent'anni ero stata una materialista; ritrovai la salute quando diventai più spirituale. Solo a quarant'anni ho compreso che il mio stato di malattia e di mancanza di salute era in stretto rapporto con il mio materialismo».

Chiunque sia ammalato e manchi di salute non può sentirsi colmo di gratitudine verso l'esistenza. In lui non ci può essere riconoscenza verso l'esistenza, può esserci solo collera. È impossibile che costui accetti qualcosa dall'esistenza, visto che è pieno di collera nei suoi confronti: può solo rifiutarla. Se nella tua vita non raggiungi un certo equilibrio di benessere del corpo, attraverso una giusta dose di lavoro fisico e di esercizio fisico, è naturale che tu senta negatività, resistenza, collera nei confronti della vita.

La giusta quantità di lavoro fisico è un gradino essenziale sulla scala della religiosità suprema.

3. Il terzo punto è un buon sonno. La giusta nutrizione, così come il lavoro materiale, sono stati danneggiati; il sonno è stato addirittura assassinato! Nello sviluppo della civiltà umana la cosa che è stata maggiormente colpita è il sonno. Dal giorno in cui l'uomo scoprì la luce elettrica, il suo sonno cominciò a essere fortemente disturbato. E più congegni sono arrivati nelle mani dell'uomo più egli ha pensato che il sonno fosse una cosa inutile, nella quale sprecava troppo tempo: si pensa che il tempo trascorso nel sonno sia completamente sciupato; quindi minor tempo l'uomo dedica al sonno, meglio sarà. Alla gente non viene in mente che il sonno dà uno speciale contributo ai processi vitali più profondi. Alcuni pensano che quello sia tempo sciupato, perciò minor tempo dedicano al sonno, meglio sarà; prima ridurranno le ore di sonno, meglio sarà.

Questo è un tipo di uomo: colui che vuole ridurre le ore in cui dorme. All'altro tipo di uomo appartengono i monaci e gli eremiti: essi sentivano che il sonno – l'incoscienza sotto forma di sonno – era l'opposto rispetto allo stato di realizzazione del Sé e al risveglio del loro essere; perciò, secondo loro dormire non era una buona cosa: meno dormi, meglio è.

I monaci avevano un problema in più: avevano accumulato nel loro inconscio talmente tante repressioni che, mentre dormivano, queste affioravano, entrando nei loro sogni. Perciò era sorta la paura del sonno, poiché tutte le cose che ignoravano durante il giorno affioravano durante il sonno notturno. Le donne dalle quali erano fuggiti rifugiandosi nella foresta cominciavano ad apparire durante il sonno; i monaci cominciavano a vederle nei sogni. Il denaro e il prestigio da cui erano fuggiti cominciavano a perseguitarli nei sogni. Perciò sentivano che il sonno era uno stato molto pericoloso – al di fuori del loro controllo – quindi meno dormivano, meglio stavano.

Quei monaci diffusero in tutto il mondo l'idea che il sonno fosse una cosa contraria alla spiritualità. Questo è un concetto estremamente sciocco. Viceversa, il gruppo appartenente al primo tipo si oppose al sonno, sentendo che era una perdita di tempo e che non c'era bisogno di dormire così a lungo: più rimani sveglio e meglio è.

Coloro che calcolano ogni cosa e fanno statistiche in tutti i campi sono davvero strani. Hanno calcolato che, se una persona dorme otto ore, perde un terzo della giornata. Se questa persona vive sessant'anni, ha sciupato vent'anni della sua vita: su un ammontare di sessant'anni di vita, ha usato per vivere solo quarant'anni. E i loro calcoli si sono spinti oltre: hanno calcolato quanto tempo impiega una persona per mangiare, per vestirsi, per radersi, per fare il bagno e così via. Dopo aver calcolato ogni cosa, hanno concluso che una persona sciupa quasi interamente la propria vita: sottraendo tutto il tempo impiegato nelle varie operazioni, hanno visto che una persona vive solo apparentemente per sessant'anni: in realtà consuma vent'anni dormendo, un certo numero di anni va sprecato per mangiare e un altro per farsi il bagno e leggere i giornali... e di questo passo, tutto il tempo va sprecato; non resta un solo minuto per vivere. Questi amanti delle statistiche crearono il panico; infatti, il loro consiglio era di eliminare tutte quelle cose, se si voleva avere un po' di tempo per vivere.

Il sonno si prende la fetta maggiore di tempo nella vita umana: perciò riduci le ore di sonno. Mentre questo primo gruppo consigliava una riduzione delle ore di sonno e creava un'onda di opposizione al sonno, il secondo gruppo – composto da monaci ed eremiti – dichiarava che il sonno è una cosa contraria alla spiritualità e diceva alla gente di dormire il meno possibile. Meno una persona dorme più diventa santa, se una persona non dorme affatto è totalmente santa.

Questi due gruppi e le loro idee hanno distrutto nell'uomo la capacità di dormire e, con l'assassinio del sonno, tutti i centri vitali più profondi hanno ricevuto una scossa, sono stati disturbati e in ultima analisi sradicati. L'uomo non si è neppure accorto che la causa nascosta di tutte le malattie e di tutti gli squilibri apparsi nella sua vita è la mancanza di sonno.

La persona che non riesce a dormire bene non può avere una vita sana. Il sonno non è una perdita di tempo. Le otto ore di sonno non sono tempo sprecato, al contrario, grazie a quelle otto ore si ha la capacità di stare svegli per sedici ore; altrimenti non saremmo in grado di stare svegli tutto quel tempo. Durante quelle otto ore in te si accumula energia vitale, la tua vita si rigenera, i tuoi centri nel cervello e nel cuore si acquietano e la tua energia vitale scaturisce ora dal tuo centro nell'ombelico. Durante quelle otto ore di sonno, ridiventi una cosa sola con la natura e con l'esistenza: ecco perché ti rivitalizzi.

Se vuoi torturare qualcuno il metodo migliore, inventato migliaia di anni fa, è impedirgli di dormire. Non è stato possibile migliorare questo metodo. In Germania, durante l'ultima guerra – e ancora oggi in Russia – il metodo più popolare per torturare i prigionieri era quello di impedire loro di dormire: è sufficiente non permettere a una persona di dormire; questa tortura spezza ogni resistenza.

I primi a scoprire questo metodo furono i cinesi, circa duemila anni fa. Impedire semplicemente a una persona di dormire era il metodo di tortura più economico. Rinchiudevano l'uomo in una cella tanto angusta da impedirgli di muoversi, di sedersi, di sdraiarsi. Poi facevano gocciolare dall'alto dell'acqua, che cadeva sulla sua testa goccia a goccia; l'uomo non poteva muoversi, né sedersi, né sdraiarsi perciò, dopo dodici o sedici o al massimo diciotto ore, cominciava a urlare disperato: «Aiuto! Sto morendo! Fatemi uscire di qui!». Allora gli chiedevano di rivelare le cose che stava nascondendo. Nell'arco di tre giorni anche le persone più coraggiose si arrendevano.

Hitler in Germania e Stalin in Russia fecero le stesse cose con centinaia di migliaia di persone: le tenevano sveglie e non le lasciavano dormire. Non puoi provare una tortura peggiore di questa. Perfino la morte non farebbe soffrire tanto, perché solo nel sonno si riguadagna ciò che si è perso. Se non riesce a dormire, una persona continua a perdere la propria energia vitale, senza riuscire a rigenerarla: si disidrata letteralmente. E noi siamo un'umanità arida, proprio perché in noi si sono chiuse le porte da cui riceviamo qualcosa, mentre si sono aperte sempre più le porte dalle quali perdiamo ogni cosa.

Il sonno deve rientrare nella vita umana. Di fatto, per la salute mentale dell'umanità non esiste alternativa, né altra soluzione. Il sonno dovrebbe essere obbligatorio per legge, per i prossimi duecento o trecento anni! Per un meditatore è molto importante comprendere che deve dormire nel modo giusto e a sufficienza.

Inoltre è bene comprendere un'altra cosa: la giusta dose di sonno è diversa per ogni persona. Non deve essere uguale per tutti, perché il corpo ha bisogni diversificati, da persona a persona, secondo l'età e in base a molte altre variabili.

Per esempio, quando un bambino è nell'utero materno dorme ventiquattr'ore al giorno perché tutti i suoi tessuti si stanno sviluppando. Ha bisogno di un sonno totale: il suo corpo può svilupparsi solo se dorme ventiquattr'ore al giorno. È possibile che i bambini che nascono storpi, zoppi o ciechi, si siano svegliati durante i nove mesi trascorsi nell'utero materno. Forse un giorno la scienza scoprirà che i feti che in qualche modo si svegliano nell'utero materno, alla nascita saranno zoppi o avranno qualche parte del corpo non del tutto sviluppata.

È necessario che il feto dorma ventiquattr'ore al giorno, perché sta creando il suo corpo, lo sta sviluppando. Ha bisogno di un sonno molto profondo, solo così tutti i processi di sviluppo si possono completare.

Anche un neonato dorme ventiquattr'ore al giorno: il suo corpo sta ancora crescendo. Poi comincia a dormire diciotto ore, poi quattordici... Piano piano il suo corpo matura e il piccino dorme sempre meno. Alla fine si stabilizza su un tempo che va dalle sei alle otto ore.

Un vecchio dorme di meno – gli possono bastare cinque, quattro, perfino tre ore – perché il corpo di un vecchio ha smesso di crescere. Non ha più bisogno di dormire tante ore ogni giorno, poiché ormai la sua morte si sta avvicinando. Se un vecchio dormisse tanto quanto un bambino, non morirebbe: avrebbe difficoltà a morire. La morte ha bisogno che il sonno diminuisca; la vita ha bisogno di un sonno profondo. Ecco perché un vecchio, a poco a poco, dorme sempre meno e un bambino dorme sempre di più.

Se i vecchi si aspettassero dai bambini lo stesso loro comportamento sarebbe pericoloso. E spesso i vecchi trattano i bambini come se fossero vecchi. Li svegliano nelle prime ore del mattino: «Sono le tre, sono le quattro, alzati!». Non si rendono conto che svegliarsi alle quattro del mattino è una buona cosa quando si è vecchi, ma i bambini non possono farlo. È sbagliato svegliarli a quell'ora, danneggia le funzioni fisiologiche del bambino: le danneggia seriamente.

Una volta un bambino mi disse: «Mia madre è molto strana: la sera, quando non ho per niente sonno, mi costringe ad andare a letto e al mattino, quando ho tanto sonno, mi costringe a svegliarmi. Non capisco perché devo dormire quando non ho sonno e devo svegliarmi quando ho sonno! Tu che spieghi tante cose alla gente, puoi spiegare questa a mia madre?». Voleva che aiutassi sua madre a capire che la sua pretesa era assurda e contraddittoria.

Non ci rendiamo conto che i bambini spesso vengono trattati come vecchi e che, crescendo, devono cominciare a vivere in base a un'infinità di regole stabilite in molti libri.

Forse non sapete che le ricerche più recenti affermano che non ci può essere un'ora fissa, uguale per tutti, per il risveglio mattutino. Da sempre si dice che sarebbe bene che tutti si svegliassero alle cinque del mattino; è un'affermazione assolutamente sbagliata e non scientifica. È una regola che non va bene per tutti: può andare bene per qualcuno, ma può essere nociva per altri. In ciascuno, nelle ventiquattr'ore, la temperatura del corpo si abbassa per almeno tre ore e queste tre ore corrispondono al suo sonno più profondo. Se tu svegliassi una persona durante quel lasso di tempo, le rovineresti tutta la giornata e tutto il suo flusso energetico risulterebbe disturbato.

Generalmente quelle tre ore cadono tra le due e le cinque del mattino, è così per la maggioranza delle persone, ma non per tutti. Per qualcuno la temperatura del corpo rimane bassa fino alle sei del mattino, per qualcun altro fino alle sette, per altri invece risale alla normalità già alle quattro. Quindi se qualcuno si sveglia durante quelle tre ore di bassa temperatura, tutta la sua giornata sarà rovinata e ne subirà gli effetti nocivi. Per ciascuno è tempo di svegliarsi solo quando la temperatura del corpo è risalita al livello normale.

Di solito svegliarsi al sorgere del Sole va bene per tutti, poiché al sorgere del Sole la temperatura del corpo risale; ma non è una regola, ci sono delle eccezioni. Qualcuno può avere bisogno di dormire più a lungo, dopo che il Sole è sorto, perché in ciascun essere umano la temperatura corporea risale alla normalità in tempi diversi e con ritmi diversi. Perciò, ciascuno di voi dovrebbe scoprire quante sono le ore di sonno che gli sono necessarie e quando è il momento giusto e sano per svegliarsi: questa diventa la sua regola. Qualsiasi cosa possa essere scritta nei libri sacri o possano dire i guru non la devi ascoltare!

Questa è la regola di un buon sonno: più riuscite a dormire, più il vostro sonno è profondo meglio sarà per voi. Però, io vi sto dicendo di dormire, e non di giacere sul letto a lungo. Starsene sdraiati a letto non significa dormire.

La vostra regola dovrebbe essere: svegliatevi quando sentite che il risveglio è sano per il vostro corpo. Normalmente accade al sorgere del Sole, ma è possibile che a voi non accada. Questo non deve né spaventarvi, né preoccuparvi, né farvi pensare di essere dei peccatori e perciò di essere degni dell'inferno. All'inferno ci vanno molte persone che si svegliano nelle prime ore mattutine e molte persone che si svegliano più tardi vivono in paradiso! Niente di tutto ciò ha qualcosa a che fare con l'essere spirituale o con il non esserlo, ma il giusto sonno ha certamente un rapporto con la spiritualità.

Dunque ciascuno di voi dovrebbe scoprire qual è la sua migliore dose di sonno. Ciascuno di voi dovrebbe fare esperimenti con il lavoro, con il sonno e con la dieta, per tre mesi, per scoprire quali siano le regole più sane, più pacifiche e più estatiche, adatte a lui.

Ciascuno di voi dovrebbe creare le proprie regole. Non esistono due persone uguali, perciò nessuna regola è applicabile a tutti. Ogni volta che qualcuno tenta di applicare una regola uguale per tutti ottiene effetti negativi. Ogni persona è un individuo. Ogni persona è unica e incomparabile. Ciascun uomo è uguale a se stesso e sulla faccia della Terra non esiste un altro uomo uguale a lui. Perciò nessuna regola prestabilita può essere valida per lui, fino a quando non scoprirà quali siano le regole del suo processo vitale.

Le sacre scritture e i guru sono dannosi perché danno formule prefabbricate. Ti dicono che devi svegliarti a una data ora, che devi mangiare questo e che non devi mangiare quello, che devi dormire in un certo modo e che devi fare le cose in un certo modo. Queste formule prefabbricate sono pericolose. Comprenderle è un bene, ma ciascuno deve poi adattarle alla propria vita.

Ogni persona deve trovare il proprio sentiero di meditazione. Ogni persona deve camminare sulle proprie gambe e creare un sentiero per il suo viaggio spirituale. Non esiste alcuna superstrada precostruita su cui devi semplicemente incamminarti; non esiste in nessuna parte del mondo. Il cammino del viaggio spirituale assomiglia a un sentierino, ma non è già esistente: devi crearlo tu camminando e si estenderà fino a quando tu continuerai a percorrerlo. E più tu andrai avanti più si svilupperà in te la comprensione del viaggio che deve ancora venire.

Quindi, dovete tenere in mente questi tre punti: la giusta dieta, la giusta quantità di lavoro e il giusto sonno. Se la vostra vita rispetterà questi tre punti, per voi aumenteranno le possibilità di apertura di ciò che io chiamo il centro nell'ombelico, che è la soglia della vita spirituale. Se vi avvicinerete a questa soglia, essa si aprirà e vi accadrà una cosa assolutamente unica, qualcosa che non avete mai sperimentato nella vita di ogni giorno.

Ieri sera, mentre me ne stavo andando, un amico mi ha avvicinato per dirmi: «Ciò che dici è giusto ma finché ci sentiremo appagati, sarà molto difficile convincerci». Non gli ho risposto niente. Forse pensa di provare appagamento semplicemente parlandone: ha assolutamente torto e sta perdendo il suo tempo. Da parte mia faccio ogni sforzo possibile, ma da parte vostra occorre uno sforzo ancora maggiore. Se non farete questo sforzo non otterrete niente, il mio parlare non avrà alcun significato.

La gente viene da me e mi ripete continuamente che vuole la pace e la beatitudine, che vuole un'anima. Certo, voi volete ogni cosa, ma nel mondo non otterrete niente soltanto desiderandolo. Il desiderio da solo è del tutto impotente, non contiene alcuna forza.

Il desiderio da solo non è sufficiente: sono necessari anche la determinazione e lo sforzo. Va benissimo che tu desideri qualcosa, ma che sforzo fai per realizzare il tuo desiderio, quanti passi fai per avvicinarti a esso, che cosa fai per realizzare il tuo desiderio?

Secondo i miei criteri, la sola prova che il desiderio esiste sta nello sforzo che fai per realizzarlo. Altrimenti non ci sarebbe alcuna prova della sua esistenza. Quando qualcuno desidera qualcosa, fa sforzi per ottenerla: questi sforzi sono la prova che desiderava qualcosa. Tu dici di desiderare delle cose, ma non hai alcuna intenzione di fare sforzi per ottenerle. Non hai affatto determinazione.

Per chiudere questo discorso, ripeterò ancora una volta un punto. Vi ho parlato dei tre centri: il centro dell'intelletto è la mente, il centro dei sentimenti è il cuore. E l'ombelico? È il centro della volontà. Più l'ombelico si attiva, più la volontà diventa intensa e più sorgono in te la determinazione, il potere e l'energia vitale per fare qualcosa.

Oppure pensa al contrario: più sei determinato, più hai l'energia per fare e più si sviluppa in te il centro nell'ombelico. Queste due realtà sono interdipendenti, in stretta relazione tra loro: più pensi e più il tuo intelletto si sviluppa, più ami e più il tuo cuore si sviluppa. Più sei determinato e più si sviluppa il centro della tua energia interiore e più sboccia quel fiore di loto nel centro del tuo ombelico.

Un aneddoto, e poi terminerò il mio discorso.

Un fachiro cieco, che chiedeva l'elemosina in una città, arrivò davanti a una moschea. Protese le mani verso la porta della moschea e chiese: «Posso avere qualcosa da mangiare? Ho fame!».

I passanti commentarono: «Questa non è una casa dalla quale puoi avere qualcosa da mangiare. Questa è una moschea, un tempio: qui non abita nessuno. Stai chiedendo l'elemosina a una moschea, non otterrai niente da mangiare qui. Va' da qualche altra parte».

Il fachiro rise e commentò: «Se non ottengo nulla dalla casa di Dio, da quale altra casa potrei ottenere qualcosa? Questa è l'ultima casa che ho incontrato sul mio cammino e per caso questa casa è un tempio. Come potrei andarmene da qui? E se me ne andassi, dove potrei andare? Non c'è nessuna casa oltre questa, perciò starò qui e me ne andrò solo dopo aver ricevuto qualcosa».

La gente continuò a deriderlo: «Qui non abita nessuno. Chi potrebbe darti qualcosa?».

E lui: «Non è questo il problema. Se devo andarmene dalla casa di Dio a mani vuote, dove potrei mai riempirle?

In questo caso, le mie mani non potranno essere riempite in nessun luogo. Ora mi sono imbattuto in questa porta e me ne andrò solo quando le mie mani saranno piene».

Il fachiro rimase fermo davanti a quella porta. Per un anno le sue mani rimasero protese allo stesso modo e il suo essere rimase pervaso dallo stesso anelito. Gli abitanti della città dicevano che era pazzo. Gli ripetevano: «Dove pensi di essere seduto con le tue mani protese? Qui non puoi guadagnare niente». Ma quel fachiro era un tipo a suo modo unico: continuava a rimanere seduto davanti a quella porta.

Così trascorse un anno e gli abitanti della città videro che aveva ottenuto qualcosa: l'aura intorno al suo viso era cambiata. Intorno a lui fluttuava una brezza di pace e una sorta di luce circondava la sua persona, una fragranza. Il fachiro cominciò a danzare. Se prima nei suoi occhi c'erano state lacrime, ora c'era un sorriso che illuminava il suo volto. Prima era pressoché morto, ma durante quell'anno la sua vita era rifiorita... cominciò a danzare.

La gente gli chiese: «Hai ottenuto qualcosa?».

Rispose: «Sarebbe stato impossibile non guadagnare qualcosa, poiché avevo deciso che avrei ottenuto qualcosa o sarei morto. Ho ottenuto più di quanto desideravo. Desideravo solo cibo per il mio corpo e ho ottenuto cibo anche per la mia anima. Volevo saziare solo la fame del corpo, ma è stata saziata anche la fame della mia anima».

A quel punto cominciarono a chiedergli: «Come hai fatto a ottenere tutto ciò? Come hai fatto a guadagnarlo?».

Il fachiro spiegò: «Non ho *fatto* niente, ma ho sostenuto la mia sete con tutta la volontà di cui ero capace. Mi sono detto che, se in me c'era una sete, in me doveva esserci anche una determinazione totale. La mia determinazione totale ha sostenuto la mia sete e ora la mia sete è stata saziata. Ho raggiunto il luogo in cui quell'acqua è disponibile e, dopo aver bevuto, ho visto sparire la mia sete».

Il significato della determinazione è avere il coraggio, la forza interiore e la volontà di fare qualsiasi cosa si desideri fare, fare qualsiasi cosa ritieni giusta per te e seguire qualsiasi sentiero senti sia giusto per te. Se non hai questa determinazione non può accaderti niente, non basta ascoltare le parole mie o di qualcun altro. Se fosse possibile fare accadere qualcosa solo attraverso le mie parole, le cose sarebbero davvero facili. Nel mondo sono esistite molte persone che hanno detto cose davvero valide: se fosse stato possibile che qualcosa accadesse solo grazie alle loro parole, adesso tutto il bene si sarebbe già manifestato. Ma né il Buddha, né Mahavira, né Cristo, né Krishna, né Maometto hanno potuto fare niente. Nessuno può far niente per l'uomo, a meno che ciascun uomo sia pronto a fare qualcosa per il proprio bene.

Il Gange continua a scorrere e gli oceani sono colmi, ma voi, senza neanche avere un secchio in mano, gridate che volete l'acqua.

Il Gange dice: «Ecco l'acqua, ma dov'è il contenitore?». Voi rispondete: «Non parlarmi del contenitore. Tu sei il Gange, sei colmo d'acqua, dammene un po'».

Le porte del Gange non sono chiuse, sono spalancate, ma voi avete bisogno di un contenitore.

Nel viaggio spirituale senza il contenitore della determinazione non potrete mai raggiungere alcuna soddisfazione o appagamento.

Avete ascoltato i miei discorsi in un profondo silenzio...

I tre incontri di questa nostra prima giornata volgono al termine e da domani cominceremo a trattare altri due punti. Ora, dopo questo incontro, starete seduti per dieci minuti per la meditazione serale.

Rispetto a questa meditazione dovreste comprendere due o tre cose, poi ci siederemo per farla. Sarebbe meglio sdraiarsi. C'è abbastanza spazio perché tutti i meditatori possano sdraiarsi? Prima è bene comprendere, poi faremo la meditazione serale. La meditazione mattutina deve essere fatta stando seduti. La vita risorge al mattino, si risveglia, perciò è utile meditare stando seduti. La meditazione serale deve essere fatta stando sdraiati nel letto, prima di addormentarsi. Dopo la meditazione, addormentatevi in silenzio: è stata l'ultima cosa della giornata. La meditazione mattutina è la prima cosa che accade dopo il risveglio, la meditazione serale è l'ultima cosa che accade prima di addormentarvi.

Se entri nel modo giusto nello stato di meditazione prima di addormentarti, l'intero sonno si trasforma. Il sonno può diventare una meditazione, perché ha certe regole. La prima regola è che l'ultimo pensiero della sera diventerà il pensiero centrale nel sonno e sarà il primo pensiero al tuo risveglio. Se alla sera ti sei coricato in uno stato di collera, durante la notte la tua mente e i tuoi sogni saranno pieni di collera e al mattino, al tuo risveglio, scoprirai che il tuo primo sentimento e il tuo primo pensiero saranno la collera. Qualsiasi cosa portiamo a letto con noi alla sera rimarrà con noi per tutta la notte.

Ecco perché vi dico che, se dovete portare con voi qualcosa nel sonno, è meglio che portiate la meditazione, in modo che tutto il vostro sonno ruoti intorno alla meditazione e intorno alla sua pace. Piano piano, vedrete che nel giro di pochi giorni i sogni spariranno e che il vostro sonno assomiglierà a un fiume profondo. Quando al mattino vi sveglierete da un sonno profondo, dalla profondità di questa meditazione serale, i vostri primi pensieri saranno di pace, di beatitudine e d'amore.

Dunque, il viaggio diurno deve cominciare con la meditazione mattutina e il viaggio notturno deve cominciare con la meditazione serale.

La meditazione serale deve essere fatta stando sdraiati nel letto. La sperimenteremo ora, sdraiandoci.

Dopo esservi sdraiati, dovete fare tre cose. La prima: il corpo deve essere totalmente rilassato, come se in esso non ci fosse più la vita. Per tre minuti la vostra mente deve sentire che il corpo prima comincia a rilassarsi e poi si rilassa sempre di più; perché il corpo segue qualsiasi sensazione abbia la mente. Il corpo è solo un servitore, un seguace; esprime con l'azione tutto ciò che sentiamo. Se senti in te collera, il corpo raccoglie una pietra per lanciarla e se senti in te amore, il corpo abbraccia qualcuno. Qualsiasi cosa tu voglia essere o fare, quando nella mente sorge un dato pensiero, il tuo corpo la trasforma in azione.

Ogni giorno assistiamo al miracolo del corpo che trasforma in azione un pensiero appena sorto nella mente. Non pensiamo mai di rilassarci, altrimenti il corpo attuerebbe anche il rilassamento: può attuare un rilassamento tale da portarci al punto di non riuscire a capire se abbiamo ancora il corpo o se non l'abbiamo più; ma accade solo dopo aver fatto questo esperimento per un po' di tempo. Per tre minuti dovete continuare a sentirvi rilassati.

Ora vi darò alcuni suggerimenti, in modo che arriviate a sperimentare questa sensazione. Quando vi suggerirò che il corpo sta cominciando a rilassarsi, voi sentirete il corpo rilassarsi sempre di più, sempre di più... Il corpo si rilasserà completamente.

Quando il corpo sarà rilassato, la respirazione diventerà più calma. "Calma" non significa che cesserà, ma che diventerà lenta, tranquilla e profonda. Allora per tre minuti dovrete sentire che la respirazione diventa sempre più calma, che il respiro si rilassa... Allora, lentamente, anche la mente diventerà rilassata e tranquilla. Quando il corpo è rilassato, la respirazione si acquieta e quando la respirazione è quieta, automaticamente la mente diventa silenziosa: le tre cose sono in relazione tra loro.

Quindi, prima di tutto sentirete il corpo rilassato, questo calmerà la vostra respirazione; poi sentirete la respirazione rilassata e questo renderà silenziosa la mente.

A quel punto vi darò un terzo suggerimento: adesso la vostra mente sta diventando silenziosa e vuota. In questo modo, dopo che avrete seguito ciascuno di questi tre suggerimenti per alcuni minuti, vi dirò che la vostra mente è diventata totalmente silenziosa. Allora, per dieci minuti, starete sdraiati in silenzio, così come siete stati seduti in silenzio al mattino.

Sentirete il richiamo di un uccello e l'abbaiare di un cane e molti altri suoni... li ascolterete in silenzio. Proprio come se foste in una stanza vuota: i suoni entreranno, risuoneranno e se ne andranno. Non dovrete chiedervi perché udite quei suoni, né perché quel cane abbaia; voi non avete niente a che fare con quel cane. Non esiste un motivo per cui dobbiate chiedervi come mai quel cane abbaia o perché quel cane vi disturba mentre siete in meditazione. No, voi non avete niente a che fare con tutto ciò. Il cane non sa che voi siete in meditazione, non ha alcuna idea in proposito; è del tutto innocente e fa solo ciò che deve fare. Non ha niente a che fare con voi; si limita ad abbaiare e voi dovete lasciarlo fare. Non è un disturbo per voi, a meno che voi non lo trasformiate in un disturbo. Lo diventa solo quando gli opponete resistenza, quando volete che il cane smetta di abbaiare... qui comincia il disturbo. Il cane abbaia, deve abbaiare, e voi siete in meditazione, dovete meditare. Tra queste due cose non c'è conflitto, non c'è opposizione. Voi siete in silenzio... arriva l'abbaiare del cane, permane nell'aria e se ne va; non è un disturbo per voi.

Una volta ho soggiornato in un piccolo villaggio, in un piccolo ostello. Con me c'era anche un leader politico. Quella notte, non so per quale motivo, tutti i cani del villaggio si erano radunati vicino alla casa e avevano cominciato ad abbaiare. Il politico si innervosì; si alzò, venne in camera mia e mi chiese: «Ti sei addormentato? Io non ci riesco! Ho mandato via quei cani per ben due volte, ma sono sempre tornati».

Gli risposi: «Se scacci qualcuno, tornerà sempre indietro. È un errore cercare di mandare via qualcuno perché, chiunque scacci, penserà di essere in qualche modo necessario. Pensa di essere in qualche modo importante, questo è il motivo per cui tu l'allontani. E i cani sono solo dei poveri cani. Devono aver pensato di essere in qualche modo necessari, di essere importanti per te... perciò sono tornati indietro.

D'altro canto, i cani non hanno idea che qui soggiorna un uomo politico e che stanno abbaiando a un uomo politico. Non sono esseri umani; se degli esseri umani fossero venuti a conoscenza che qui soggiorna un uomo politico, si sarebbero radunati intorno a te. I cani non sono ancora abbastanza intelligenti da radunarsi quando arriva un uomo politico: vengono qui ogni giorno, spontaneamente. Non condividono la sciocca idea che hai nella tua mente: che si sono dati convegno qui a causa della tua importanza. Non sanno niente di tutto ciò! E per ciò che riguarda il tuo non riuscire ad addormentarti, non sono i cani che ti tengono sveglio: sei tu che ti mantieni sveglio. Pensi vanamente che i cani non dovrebbero abbaiare, con che diritto? I cani hanno il diritto di abbaiare e tu hai il diritto di dormire. Tra le due cose non c'è contraddizione: possono accadere simultaneamente. Tra le due cose non c'è conflitto né contrasto. Lascia che i cani abbaino e tu continua a dormire. Né loro possono dirti che non devi dormire perché il tuo sonno disturba il loro abbaiare, né tu puoi dire che ti disturbano».

Gli spiegai: «Accetta il fatto che i cani abbaiano e ascoltali in silenzio. Lascia cadere ogni resistenza. Dal momento in cui lo accetterai, quell'abbaiare si trasformerà in un ritmo musicale».

Non so a che ora si addormentò, ma quando si svegliò al mattino mi disse: «Non ho la minima idea di che cosa mi sia successo, ma sono stupefatto. Visto che non c'era altro da fare, ho dovuto accettarlo. All'inizio la tua idea mi sembrava priva di senso» – le mie idee non sembrano mai sensate di primo acchito, anche a lui la mia idea era sembrata priva di senso – «ma quando mi sono sentito totalmente impotente, ho compreso che non potevo fare altro: o rovinare il mio sonno o accettare il tuo consiglio; avevo solo queste due alternative. Per cui ho pensato che, come prima avevo prestato troppa attenzione ai cani, ora dovevo prestare attenzione al tuo consiglio per vedere che cosa mi sarebbe accaduto. Perciò mi sono coricato in silenzio e ho ascoltato e ho accettato l'abbaiare dei cani. Dopo di che, non so quando mi sono addormentato e per quanto tempo i cani hanno continuato ad abbaiare o quando si sono azzittiti. In realtà ho dormito benissimo per tutta la notte!».

Perciò, non opponete resistenza. Ascoltate in silenzio qualsiasi suono circostante. Questo ascoltare in silenzio è un fenomeno davvero miracoloso. Questa assenza di resistenza, questa assenza di opposizione verso la vita sono la chiave per entrare in meditazione.

Quindi, per prima cosa ci rilasseremo e poi ascolteremo in silenzio, in uno stato di non resistenza. Spegneremo le luci, affinché non sentiate la presenza degli altri. È facile dimenticare i cani, è molto più difficile dimenticare le persone che vi stanno intorno.

*Quarto discorso*

# Conoscere la mente

Amici carissimi,

la mente dell'uomo si è ammalata, è diventata una ferita. Non è più un centro sano, è diventata un'ulcera purulenta. Ecco perché tutta la vostra attenzione è concentrata sulla mente. Forse non avete mai notato che quando una parte del corpo è ammalata, tutta la vostra attenzione è convogliata su di essa.

Solo quando la gamba vi fa male ne diventate consapevoli, quando non vi fa male non vi accorgete di averla. Se avete una ferita in una mano, ne diventate consapevoli; se non l'avete, non vi accorgete di avere la mano. In un modo o nell'altro la vostra mente si è certamente ammalata, poiché tutta la vostra attenzione è concentrata su di essa, nelle ventiquattr'ore non vi focalizzate su altro.

Più il vostro corpo è sano e meno lo sentite. Sentite solo le parti che sono ammalate e l'unica parte del corpo che ora sentite è la testa. La vostra consapevolezza ruota tutta intorno alla mente: conosce solo la mente, riconosce solo la mente. Una piaga purulenta è comparsa nella vostra mente; se non ve ne libererete, se non vi libererete da questo stato di tensione e di agitazione della mente, nessuno di voi riuscirà a raggiungere il proprio centro vitale.

Perciò, oggi tratteremo questo stato della mente e del modo per cambiarlo.

La prima cosa che dovreste fare è comprendere con chiarezza lo stato della vostra mente. Se vi sedeste da soli per dieci minuti e annotaste su un foglio con sincerità qualsiasi pensiero vi passi per la mente, non osereste mostrare quel foglio neppure al vostro più caro amico, perché scoprireste pensieri talmente folli che mai avreste sospettato di avere. Scoprireste pensieri così irrilevanti, inutili e contraddittori da farvi temere di essere impazziti. Se annotaste su un foglio con sincerità qualsiasi pensiero vi venga nell'arco di dieci minuti, rimarreste esterrefatti da ciò che accade nella vostra mente. Vi chiedereste se siete sani o pazzi. Voi non guardate mai, neppure per dieci minuti, nella vostra mente per vedere che cosa accade o forse non lo fate mai perché nel vostro intimo sapete già che cosa sta accadendo. E probabilmente ne avete paura.

Ecco perché le persone hanno paura di stare da sole e cercano compagnia ventiquattr'ore su ventiquattro, incontrando gli amici, frequentando un club o facendo qualsiasi altra cosa. Quando non riescono a trovare compagnia, leggono un giornale o ascoltano la radio. Nessuno vuole stare solo, perché quando è solo comincia a rendersi conto del suo stato reale.

Quando sei con l'altro, sei coinvolto nel rapporto con lui e non sei consapevole di te stesso. La ricerca dell'altro è unicamente la ricerca di un'opportunità per fuggire da te stesso. Il motivo fondamentale del tuo interesse per gli altri è che hai paura di te stesso e sai benissimo che, se conoscessi completamente te stesso, scopriresti di essere assolutamente pazzo. Per fuggire da questo stato l'uomo cerca compagnia, cerca un gruppo di appartenenza, gli amici, cerca la società e la folla.

L'uomo ha paura della solitudine. Ha paura della solitudine perché in essa scoprirebbe il riflesso del suo stato reale, si imbatterebbe nel riflesso del suo vero volto. E sarebbe spaventoso, davvero terrorizzante. Pertanto, da quando si alza al mattino fino alla sera quando si corica, usa ogni accorgimento per fuggire da se stesso, per evitare di affrontare se stesso. Ha paura di potersi vedere.

L'uomo ha inventato migliaia di modi per fuggire da se stesso. Più è peggiorata la condizione della mente umana più l'uomo ha creato nuovi espedienti per fuggire da se stesso. Se analizzaste gli ultimi cinquant'anni, scoprireste che l'uomo ha creato un numero sempre maggiore di espedienti per fuggire da se stesso, come mai prima nella storia. Il cinema, la radio, la televisione: sono tutti modi per fuggire da se stessi. L'uomo è diventato fortemente irrequieto! Ciascuno di voi cerca l'intrattenimento: fate qualsiasi cosa per dimenticare voi stessi per un po' di tempo, perché la vostra situazione interiore peggiora sempre più. In tutto il mondo, con l'aumento della civiltà, cresce di pari passo l'uso delle droghe. Di recente sono state scoperte nuove droghe che sono diventate molto popolari in Europa e in America. Droghe come LSD, mescalina e marijuana. Nelle città europee e americane più colte, fra la gente più istruita, la ricerca di nuove droghe è altissima: si ricercano in continuazione mezzi in grado di far dimenticare se stessi, altrimenti l'essere umano si ritroverebbe in gravi difficoltà.

Qual è la causa scatenante? Perché volete dimenticare voi stessi? Perché siete tanto ansiosi di dimenticare voi stessi? E non dovete pensare che solo coloro che vanno al cinema tentino di dimenticare se stessi: anche coloro che frequentano i templi vogliono farlo, non c'è alcuna differenza. Il tempio è un modo obsoleto per dimenticare se stessi, il cinema è un modo nuovo. Se un uomo è seduto e canta: «Rama, Rama» non pensate che stia facendo altro se non tentare di dimenticare se stesso cantando; proprio come qualcun altro tenta di dimenticare se stesso ascoltando musica o vedendo un film. Tra queste due persone non c'è alcuna differenza.

Lo sforzo per essere coinvolto in qualcosa all'esterno da te – sia "Rama", sia un film, sia una musica – in profondità non è altro che uno sforzo per fuggire da te stesso. Siete tutti occupati nel fuggire da voi stessi in un modo o nell'altro. Questo dimostra che la vostra situazione interiore sta peggiorando e che non avete più neppure il coraggio di osservarla. Avete perfino paura di guardare in quella direzione.

Vi state comportando come gli struzzi. Vedendo il nemico, lo struzzo nasconde la testa nella sabbia, perché pensa che guardare il nemico sia pericoloso. Poiché non lo vede più, la logica dello struzzo gli fa pensare: "Non vedo più il nemico, dunque non c'è, sono salvo". Ma questa logica è sbagliata. Possiamo perdonare lo struzzo, ma non possiamo perdonare l'uomo. Una cosa non cessa di esistere semplicemente perché non la si vede. Se vediamo una cosa possiamo affrontarla, ma se non la vediamo non abbiamo alcuna possibilità di agire.

Voi volete dimenticare il vostro stato interiore, non volete vederlo. Potreste anche convincere la mente che una cosa che non vedete non esiste, ciò non significa che quella cosa non ci sia più. Non esiste alcuna relazione tra il non essere visibile e il non esistere. Se aveste visto quella cosa, forse sareste stati in grado di cambiarla; ma se non l'avete vista, nessun cambiamento è possibile. E quella cosa continuerà a crescere dentro di voi come una piaga, come un'ulcera che avete nascosto e che non volete guardare.

La mente è diventata una piaga. Se un giorno inventassero una macchina che permette di vedere ciò che accade all'interno di ogni persona, probabilmente tutti si suiciderebbero. Nessuno permetterebbe a qualcun altro di vedere ciò che accade nel proprio intimo. Un giorno o l'altro qualcuno potrebbe inventarla; per ora possiamo essere grati che nelle nostre teste non esistano finestrelle che ci permettano di guardarci a vicenda nella mente per vedere che cosa vi sta accadendo.

Ciò che le persone nascondono nel proprio intimo è assai diverso da ciò che esprimono all'esterno. Ciò che vedete all'esterno sulla loro faccia è totalmente diverso da ciò che accade nel loro intimo. È possibile che all'esterno parlino d'amore, ma interiormente sono piene di odio. Possono dire a qualcuno: «Buongiorno! Che piacere vederti! Sono felice di incontrarti questa mattina». Ma interiormente pensano: "Perché devo iniziare la giornata guardando proprio la faccia di questo idiota?".

Se nella testa ci fossero delle finestrelle per guardare all'interno, ci troveremmo tutti in grandi difficoltà, la vita diventerebbe veramente difficile. Ora possiamo parlare amichevolmente con una persona, mentre pensiamo: "Quando morirà quest'uomo?". In superficie siamo una cosa e in profondità un'altra, e non osiamo guardarci dentro, né osservare la nostra interiorità per vedere chi siamo realmente.

Una madre e una figlia vivevano insieme ed entrambe erano sonnambule. Una notte, erano circa le tre del mattino, la madre si alzò nel sonno e andò nel giardino dietro la casa. Dopo un po', anche la figlia si alzò e, sempre addormentata, si recò a sua volta nel giardino. Non appena la vecchia madre vide sua figlia, urlò: «Strega! Mi hai rubato la mia gioventù. Dal momento della tua nascita ho cominciato a invecchiare. Per me sei una nemica. Se tu non fossi nata, io sarei ancora giovane».

E, vedendo la madre, la ragazza urlò: «Oh, donna malvagia! Per colpa tua la mia vita è impossibile, è una schiavitù. Tu sei sempre stata una roccia opposta al fluire della mia vita. Sei una pesante catena intorno al mio collo».

In quell'istante il gallo cantò ed entrambe si svegliarono. La vecchia madre, vedendo la figlia, esclamò: «Cara, perché ti sei alzata così presto? Potresti prendere freddo. Vieni, rientriamo».

La ragazza toccò immediatamente i piedi alla vecchia madre, aveva l'abitudine di farlo ogni mattina, ed esclamò: «Madre! Ti sei alzata così presto. La tua salute è cagionevole. Non dovresti alzarti quando è ancora buio. Vieni, riposati».

Potete notare la differenza tra ciò che avevano detto mentre erano addormentate e ciò che avevano detto dopo essersi svegliate. Tutto ciò che un uomo dice nel sonno è più autentico di ciò che dice da sveglio, poiché sgorga dalla sua interiorità. Ciò che vedi di te stesso nei tuoi sogni è più autentico di ciò che vedi di te stesso sulla piazza del mercato o in mezzo alla folla. In mezzo alla folla la tua faccia è truccata e artificiale, nella tua interiorità sei una persona totalmente diversa. Puoi riuscire a nascondere alcune cose, appiccicando in superficie qualche pensiero buono, ma dentro di te arde il fuoco di ciò che hai represso. In superficie puoi sembrare del tutto silenzioso e assennato, ma dentro di te tutto è malsano e disturbato. In superficie sembra che tu sorrida, ma è possibile che il tuo sorriso nasconda un oceano di lacrime. Di fatto, è probabile che ti sia esercitato a sorridere, proprio per nascondere le tue lacrime interiori: è ciò che la gente fa di solito.

Una volta qualcuno chiese a Nietzsche: «Lei ride sempre. È una persona così gioiosa! Si sente davvero felice?».

Nietzsche rispose: «Visto che me l'ha chiesto, le dirò la verità. Rido per non piangere! Prima che il mio pianto si scateni, lo affogo in una risata. Lo blocco nel mio intimo. La mia risata deve convincere gli altri che sono felice. E rido solo perché sono talmente triste da trovare sollievo solo nella risata. A volte riesco a consolarmi!».

Nessuno ha mai visto ridere il Buddha, né Mahavira, né Cristo. Ci deve essere un motivo. Forse nel loro intimo non avevano lacrime, perciò non avevano bisogno di ridere per nasconderle. Forse nel loro intimo non avevano dispiaceri da nascondere dietro al sorriso. Tutto ciò che li aveva disturbati interiormente era ormai scomparso; non avevano più bisogno di appiccicare i fiori della risata all'esterno.

Se qualcuno emana un odore sgradevole, ha bisogno di cospargersi di profumo. Se qualcuno ha un corpo sgraziato, deve sforzarsi di sembrare bello. Chi si sente triste dentro di sé, deve imparare a ridere e chi interiormente è colmo di lacrime, all'esterno deve mantenere il sorriso. Chi interiormente è colmo di spine, all'esterno deve appiccicarsi addosso dei fiori.

L'uomo non è assolutamente ciò che appare, è esattamente l'opposto. Interiormente è una cosa, esternamente è tutt'altro. E va benissimo che gli altri siano tratti in inganno da ciò che ti sei appiccicato addosso, ma il problema è che riesci a ingannare anche te stesso. Andrebbe benissimo se solo gli altri fossero tratti in inganno dalle tue apparenze esteriori, e non ci sarebbe da stupirsi, poiché comunemente la gente vede solo il lato esteriore; ma tu riesci a ingannare anche te stesso, perché pensi di corrispondere davvero all'immagine che gli altri vedono di te. Guardi te stesso attraverso gli occhi degli altri; non ti vedi mai direttamente per ciò che sei, come sei realmente.

L'immagine che si è formata negli occhi degli altri, ti trae in inganno e hai paura di guardarti dentro. Tu vuoi vedere l'immagine che gli altri vedono di te, non la tua realtà. Che cosa dice la gente? Ti interessa moltissimo sapere che cosa dice la gente di te; e il motivo è semplice: pensi di poter riconoscere te stesso attraverso l'immagine che si è formata negli occhi degli altri. È davvero sorprendente! Perfino per conoscere te stesso devi guardare negli occhi di un'altra persona.

Le persone hanno paura che si parli male di loro. Sono felici se la gente parla bene di loro, perché la conoscenza di sé dipende dall'opinione degli altri: non hanno alcuna esperienza immediata di sé, non hanno mai fatto alcuna esperienza diretta per conoscere se stessi. Questa esperienza potrebbe accadere, ma non accade perché tu cerchi di sfuggirla.

Nell'incontro con la tua mente, la prima cosa che devi fare non è occuparti di quello che gli altri dicono di te o di come appari agli altri; al contrario, devi avere un incontro diretto con ciò che sei essenzialmente. In solitudine, devi aprire totalmente la tua mente per vedere che cosa c'è dentro. È un atto di coraggio; decidere di entrare nell'inferno nascosto dentro di te è un atto di formidabile coraggio. Vedere te stesso in tutta la tua nudità è un atto di grande coraggio. Devi avere un coraggio estremo.

C'era una volta un imperatore. Aveva l'abitudine di sparire ogni giorno in un stanza posta al centro del suo palazzo. La sua famiglia, coloro che vivevano nella sua casa, i suoi amici e i suoi ministri erano tutti molto sorpresi e incuriositi da questa sua abitudine. Egli portava sempre con sé la chiave di quella stanza e, dopo esservi entrato, chiudeva a chiave la porta dall'interno. Nella stanza c'era una sola porta e neppure una finestra. Nell'arco della giornata, rimaneva chiuso lì dentro almeno un'ora.

Neppure le sue mogli sapevano niente di quella stanza, perché l'imperatore non ne aveva mai parlato con nessuno. Se qualcuno gli faceva qualche domanda, sorrideva e rimaneva in silenzio, non aveva mai dato quella chiave a nessuno. Tutti erano stupiti e la loro curiosità andava aumentando ogni giorno: «Che cosa fa in quella stanza?». Nessuno lo sapeva. L'imperatore vi rimaneva chiuso dentro almeno un'ora, poi usciva in silenzio, si metteva la chiave in tasca e il giorno successivo lo rifaceva, immancabilmente. Alla fine, la curiosità di tutti era arrivata al culmine: tramarono insieme qualcosa per scoprire che cosa facesse lì dentro. I suoi ministri, le sue mogli, i suoi figli e le sue figlie, tutti facevano parte di quella cospirazione.

Una notte, fecero un buco in una parete in modo da poter vedere ciò che l'imperatore avrebbe fatto.

Il giorno successivo, dopo che l'imperatore fu entrato, tutti a uno a uno guardarono dal buco. Ma chiunque guardava dal buco, si ritraeva immediatamente ed esclamava: «Che cosa sta facendo? Che cosa sta facendo?». E nessuno riusciva a dire null'altro.

L'imperatore, dopo essere entrato, si era spogliato di tutti i suoi abiti. Poi, con le mani alzate verso il cielo, aveva detto: «Oh Dio! Io non sono colui che indossava questi abiti! Quella non è la mia realtà... la mia realtà è *questa*!». Quindi si era messo a saltare, a gridare, a urlare e a comportarsi come un pazzo.

Chiunque guardava dal buco si ritraeva immediatamente, sconvolto, dicendo: «Che cosa sta facendo il nostro imperatore? Noi pensavamo che facesse qualche pratica yoga o che pregasse. Ma questo! Che cosa sta facendo?».

L'imperatore diceva a Dio: «La persona silenziosa e dall'aspetto tranquillo, vestita da imperatore che ti stava di fronte è assolutamente falsa. Era un uomo artefatto, io l'ho fatto diventare tale con molta fatica. In realtà, io sono questo.

«Questa è la mia realtà, questa è la mia nudità e questa è la mia pazzia. Se tu accetti la mia realtà, allora tutto va bene; poiché io posso ingannare la gente, ma come potrei ingannare te? Indossando degli abiti, posso mostrare alla gente che non sono nudo, ma tu sai benissimo che sono nudo. Come posso ingannare te? Io posso mostrare alla gente che sono un uomo silenzioso e beato, ma tu conosci profondamente la mia interiorità. Come potrei ingannarti? Io sono solo un pazzo!».

Davanti a Dio, sembriamo tutti pazzi; ma lasciamo stare Dio: se guardiamo in noi stessi, anche ai nostri stessi occhi sembriamo dei pazzi. La nostra mente è diventata del tutto distorta, ma noi non abbiamo mai prestato attenzione a questo problema, quindi non abbiamo sviluppato alcun metodo per risolverlo.

La prima cosa da fare è incontrare direttamente la mente. Ma affinché questo incontro avvenga, devi comprendere due o tre punti. Dopo di che sarai in grado di pensare a come potrai cambiare la tua mente.

La prima cosa da fare per incontrare direttamente la mente è lasciar perdere ogni paura di conoscere te stesso. Che cos'è questa paura? Tu hai paura della possibilità di essere malvagio. Hai paura di poter scoprire di essere un malfattore, dopo che hai coltivato un'immagine di te come brava persona. Apparentemente sei una brava persona: sei santo, sei innocente, sei autentico, sei veritiero, ma hai paura di poter scoprire che interiormente non sei autentico, che sei falso. Hai paura di scoprire che non sei religioso, che sei contorto, un imbroglione, un ipocrita, tutt'altro che un santo. Hai paura che l'immagine di te stesso – ciò che tu credi di essere – possa risultare falsa.

Chi ha questa paura non potrà mai incontrare la propria mente. È facile isolarsi nella foresta, è facile affrontare il buio della notte o sedersi coraggiosamente di fronte ad animali selvaggi, ma è molto difficile guardare coraggiosamente in faccia l'uomo selvaggio che è nascosto dentro di te. È veramente difficile. Non è affatto difficile stare per anni esposto al Sole, ogni sciocco può farlo. Non è difficile stare eretti a testa in giù, ogni idiota può imparare questo trucco da circo equestre. Non è affatto difficile giacere sulle spine, la pelle può abituarsi in breve tempo alle spine. Se esiste una cosa veramente difficile è questa: trovare il coraggio per vivere un'esperienza immediata di ciò che sei interiormente, malvagio o pazzo, qualsiasi cosa tu sia.

La prima cosa da fare è lasciar perdere la paura e prepararti a guardare coraggiosamente dentro te stesso. Colui che non ha questo coraggio si trova in difficoltà. Tu sei interessato a incontrare la tua anima, sei interessato a conoscere l'esistenza; ma non hai il coraggio di avere un incontro semplice e diretto con te stesso. L'anima e l'esistenza sono lontane, remote: la tua prima realtà è la mente. La tua prima realtà è il centro dei tuoi pensieri, ciò a cui sei più strettamente collegato: innanzitutto devi vederlo, devi conoscerlo e comprenderlo.

La prima cosa che devi fare è sforzarti di conoscere la tua mente, in solitudine e senza paura. Ogni giorno, per almeno mezz'ora, da' alla tua mente l'opportunità di esprimersi così com'è. Chiuditi in una stanza – come quell'imperatore – e scatena completamente la tua mente. Dille: «Qualsiasi cosa tu voglia pensare o qualsiasi riflessione tu voglia fare, fa' pure!». Lascia perdere tutte le censure che ti sei imposto e che hanno impedito alle cose di affiorare, lasciale perdere! Da' alla tua mente la libertà di lasciar sgorgare qualsiasi cosa voglia far uscire, permettile di manifestare qualsiasi cosa voglia esplodere. Non bloccare, non reprimere niente: sii pronto a conoscere ciò che hai dentro.

Non devi neppure giudicare ciò che è bene e ciò che è male, perché nel momento stesso in cui giudichi, inizi a reprimere. Tutto ciò che definisci male, la mente comincia a reprimerlo e tutto ciò che definisci bene, la mente comincia a usarlo come copertura. Quindi non devi giudicare niente, né come buono né come cattivo. Qualsiasi cosa ci sia nella tua mente, *qualunque cosa*, preparati a conoscerla così com'è.

Se permetterai alla tua mente di essere totalmente libera – libera di pensare, di riflettere e di sentire – verrai preso dal terrore e avrai paura di essere pazzo. Ma è essenziale che tu conosca che cosa è nascosto dentro di te, per liberartene. La conoscenza e il riconoscimento sono i primi passi per liberarti da tutto ciò. Non puoi vincere un nemico che non conosci e che non riconosci: non è possibile. Il nemico nascosto, il nemico che sta alle tue spalle è più pericoloso del nemico che ti sta di fronte, che ti è familiare, che sai riconoscere.

Come prima cosa riconosci che, a causa di tutte le repressioni e le inibizioni che hai imposto alla tua mente, non le permetti di esprimersi spontaneamente. Hai imprigionato tutta la sua spontaneità. Ogni cosa è diventata innaturale e falsa. Hai coperto tutto con veli, mostri facce false e non permetti mai alla tua mente di esprimersi direttamente.

Perciò, per cominciare, permettile almeno di esprimersi direttamente davanti a te, in modo che ti diventi familiare tutto ciò che ha dentro, quei contenuti che hai sempre nascosto e represso. E hai represso nel buio dell'inconscio gran parte della tua mente: non l'hai mai illuminata con una lampada. Tu vivi sotto il portico della tua casa, all'interno tutte le stanze sono buie: non sai quanti insetti, ragni, serpenti e scorpioni stiano nascosti lì dentro; nelle tenebre, sicuramente si radunano. E hai paura di accendere la luce, non vuoi neppure pensare in quali condizioni si trovi l'interno della tua casa.

Per un ricercatore è assolutamente essenziale lasciar cadere questa paura. Per sollecitare una rivoluzione nella tua mente e nei tuoi pensieri la prima cosa da fare è lasciar perdere la paura, essere pronto a conoscere te stesso senza paura. La seconda cosa è liberarti da tutte le censure e dalle restrizioni che hai imposto alla mente, e te ne sei imposte tantissime! La tua educazione, i tuoi precetti morali, la tua civiltà e la tua cultura ti hanno imposto un'infinità di inibizioni: «Non pensare questo. Non permettere a un dato pensiero di entrare nella tua mente: è un pensiero cattivo! Non dargli spazio!». E quando li reprimevi, non distruggevi i pensieri cattivi: in realtà sprofondavano nel tuo inconscio.

Reprimendo un pensiero, questo non se ne va, ma penetra in profondità nel tuo essere, poiché ciò che reprimi proviene dalla tua interiorità, non da qualche parte all'esterno.

Ricorda, tutto ciò che c'è nella tua mente non proviene da qualche parte all'esterno, viene dalla tua interiorità. È come se una sorgente sgorgasse da una montagna e tu le impedissi di uscire: non distruggeresti la sorgente, l'acqua penetrerebbe in profondità e cercherebbe un'altra via per sgorgare dalla stessa montagna. All'origine c'era solo una sorgente, ma ora forse ce ne sono dieci, perché l'acqua tenta di sgorgare dividendosi in dieci rivoli. Se tu impedissi a queste dieci sorgenti di uscire, forse l'acqua si dividerebbe in un centinaio di altre sorgenti.

Ogni cosa proviene dalla tua interiorità, non dall'esterno. E più la reprimi più peggiora, più si perverte. Poi trova vie nuove per uscire e ti crea nuove complicazioni; ma tu continui a reprimerla con forza sempre maggiore. Fin dalla primissima infanzia la base della tua educazione è stata questa: se un pensiero sbagliato arriva nella tua mente, devi reprimerlo. Quel pensiero represso non viene distrutto, penetra nelle profondità del tuo inconscio. E più lo reprimi, più va in profondità e aumenta il suo potere su di te.

La collera è un sentimento sbagliato, quindi la reprimi; in questo modo una corrente di collera si espande nel tuo essere. La sensualità è sbagliata, l'avidità è sbagliata, questo è sbagliato, quello è sbagliato... Tu reprimi tutto ciò che ritieni sbagliato e alla fine scopri di essere diventato la somma di tutto ciò che hai represso. Per quanto tempo ancora riuscirai a bloccare queste sorgenti represse chiudendo i loro sbocchi?

La mente funziona in un certo modo. Per esempio, qualsiasi cosa tu voglia reprimere o evitare di vedere diventa prioritario, il pensiero dominante. Qualsiasi cosa tu voglia evitare di vedere diventa un'attrazione e una calamita per la tua mente. Provaci! Se tenti di sfuggire qualcosa o di reprimere qualcosa, la mente si focalizza immediatamente proprio su quella cosa.

Milarepa era un mistico che viveva in Tibet. Un giorno un giovane andò da lui e gli chiese: «Voglio acquisire dei poteri. Per favore dammi un mantra».

Milarepa rispose: «Noi non abbiamo alcun mantra, siamo mistici; i maghi e i giocolieri hanno mantra: rivolgiti a loro. Noi non ne usiamo, perché mai dovremmo aver bisogno di poteri?».

Ma più Milarepa si rifiutava più il giovane pensava che in quel luogo doveva esserci qualcosa: "Altrimenti perché mi opporrebbe un simile rifiuto?". Perciò continuava a tornare.

Si radunano sempre grandi folle intorno ai santi che allontanano le persone anche in malo modo, addirittura a sassate. Le folle pensano che quel santo deve avere qualcosa di speciale, altrimenti non manderebbe via la gente. Ma voi non riuscite a capire che chi attrae la gente, sia mediante un annuncio pubblicitario su un giornale sia prendendola a sassate, usa sempre lo stesso trucco, la propaganda è sempre la stessa; e il secondo metodo è più manipolatorio e astuto. Quando le persone vengono mandate via da qualcuno a sassate, non capiscono che in realtà vengono attratte: questo è un metodo molto sottile per farlo. La gente continua a tornare, non pensando di essere stata sedotta.

Il giovane pensava che forse Milarepa tentava di nascondere qualcosa, perciò cominciò a tornare da lui ogni giorno. Alla fine Milarepa si stancò e gli scrisse un mantra su un pezzo di carta, dicendogli: «Prendilo. La prossima notte sarà senza Luna. Leggi questo mantra per cinque volte in quella notte. Se lo leggerai per cinque volte otterrai il potere che vuoi e potrai fare tutto ciò che vorrai. Adesso va' e lasciami in pace».

Il giovane afferrò il pezzo di carta, si girò e corse via. Non ringraziò neppure Milarepa. Ma non era ancora in fondo alla scalinata del tempio, che Milarepa lo richiamò: «Amico! Ho dimenticato di dirti una cosa. Ci sono alcune condizioni legate a questo mantra: quando lo leggerai, nella tua mente non ci dovrà essere neppure un pensiero che riguardi le scimmie».

Il giovane gli rispose: «Non preoccuparti. In tutta la mia vita non ho mai avuto un pensiero simile. Non ho mai avuto motivo per pensare alle scimmie. Devo leggere il mantra solo per cinque volte, non c'è problema».

Ma si era sbagliato: giunto in fondo alla scalinata, le scimmie iniziarono a presentarsi. Si spaventò moltissimo. Chiuse gli occhi e vide quelle scimmie nella sua mente, guardò all'esterno e vide altre scimmie, sebbene non ce ne fossero realmente. La notte non tardò ad arrivare, e ogni movimento tra i rami degli alberi gli sembrava di una scimmia: sembrava che le scimmie fossero dappertutto. Quando arrivò a casa era già molto preoccupato: fino a quel giorno non aveva mai pensato alle scimmie e non aveva mai avuto niente a che fare con loro.

Fece un bagno, ma mentre era nell'acqua le scimmie erano lì con lui. La sua mente era ossessionata da un'unica cosa: le scimmie. A un certo punto si sedette per leggere il mantra. Prese il pezzo di carta, chiuse gli occhi e nella sua interiorità vide una folla di scimmie che si burlava di lui. Si spaventò moltissimo, ma perseverò per tutta la notte. Cambiò varie posizioni: provò a sedersi in questo modo o in quell'altro; in *padmasana*, in *siddhasana* e in altre posture yoga. Pregò, si prostrò, chiese perdono. Gridò perché qualcuno lo aiutasse a liberarsi da quelle scimmie, ma le scimmie erano irremovibili, per quella notte non avevano intenzione di lasciarlo.

Il mattino seguente il giovane era praticamente folle di paura e comprese che non avrebbe potuto acquisire tanto facilmente il potere del mantra. Comprese che Milarepa era stato molto astuto: gli aveva posto una condizione davvero difficile. Milarepa lo aveva ingannato! Se le scimmie erano un impedimento, almeno non avrebbe dovuto parlargliene. In quel caso, forse, avrebbe potuto acquisire il potere del mantra.

Il mattino seguente, il giovane tornò piangendo da Milarepa e gli disse: «Riprenditi il tuo mantra, hai commesso un grave sbaglio. Se le scimmie sono un impedimento all'uso di questo mantra, almeno non avresti dovuto parlarmene. Normalmente, io non avevo mai pensato alle scimmie e invece ora mi hanno perseguitato per tutta la notte. Adesso dovrò aspettare la prossima vita per acquisire il potere di questo mantra perché, in questa, il tuo mantra e le scimmie sono diventati una cosa sola. Ora mi è praticamente impossibile liberarmi delle scimmie!».

Le scimmie erano diventate una cosa sola con il mantra. Com'era potuto accadere? La sua mente insisteva nel dire che le scimmie non dovevano essere presenti, proprio per questo lo erano! Ogni volta che la mente tentava di liberarsi dalle scimmie, queste comparivano. Ogni volta che la mente tentava di fuggire dalle scimmie, queste arrivavano a frotte.

Proibire è attrarre, rifiutare è invitare, impedire è indurre in tentazione.

La tua mente è diventata così malata perché non riesci a capire questo semplice punto. Tu non vuoi essere in collera, in questo caso la collera arriva come una scimmia. Tu non vuoi essere sensuale, dunque la tua sessualità appare come una scimmia e prende in pugno tutto il tuo essere. Tu non vuoi l'avidità, non vuoi l'ego, e questi arrivano tutti. Ma tutto ciò che vuoi – la spiritualità, la religiosità, l'illuminazione – sembra non arrivare affatto. Ti arriva tutto ciò che non vuoi e non appare mai tutto ciò che tenti di ottenere. Tutte queste frustrazioni accadono perché non capisci questo semplice presupposto della mente.

La seconda cosa da ricordare è che non occorre insistere tanto per stabilire ciò che dovrebbe o non dovrebbe esserci nella mente. Dovremmo essere pronti a osservare qualsiasi cosa appaia nella nostra mente, senza fare alcuna scelta e senza porre alcuna condizione. In questo modo potremmo cominciare a vedere che cos'è la nostra mente, nella sua realtà.

Il mero fatto della natura contraddittoria della mente è compreso molto bene dai pubblicitari di tutto il mondo; viceversa i capi religiosi non l'hanno ancora capito. I pubblicitari di tutto il mondo comprendono questo fatto, al contrario di coloro che si pongono nella società come educatori.

Quando sul cartellone di un film c'è l'avviso "per adulti", i ragazzi pensano valga la pena spendere qualche soldo per baffi finti da appiccicare sul viso per poter vedere quel film. I pubblicitari sanno che per attrarre i ragazzi è necessario usare la formula "per adulti". Ci sono riviste femminili con la scritta "per sole donne": le leggono solo gli uomini, le donne non le leggono mai! Ho fatto un'indagine e ho scoperto che la maggior parte degli acquirenti è costituita da uomini. Quando l'ho chiesto ad alcuni rivenditori, mi hanno spiegato: «Le donne comperano le riviste con la scritta "per sole donne" solo ogni tanto, di solito comperano le riviste con la scritta "per soli uomini"».

I pubblicitari capiscono benissimo ciò che attrae la mente umana, ma i capi religiosi e gli insegnanti di morale non l'hanno ancora compreso. E continuano a insegnare alla gente sciocchezze del tipo: «Non andare in collera, lotta contro la collera!». Chi lotta contro la collera e tenta di evitarla ne sarà ossessionato per tutta la vita. Solo chi è interessato a conoscere la propria collera – guardandola in faccia, senza lottare contro di essa – se ne libererà.

Perciò il secondo punto da ricordare è: lascia cadere ogni sensazione di conflitto e di lotta contro qualsiasi stato della tua mente. Crea semplicemente in te la sensazione di voler conoscere, di voler comprendere: «Io dovrei comprendere che cos'è la mia mente». Dovresti entrare nella tua mente con questa sincera aspirazione. Questo è il secondo punto.

E il terzo punto è: non esprimere alcun giudizio su qualsiasi cosa affiori nella tua mente. Non esprimere alcun giudizio su ciò che è male e su ciò che è bene. Il male e il bene sono due facce della stessa moneta. Ogni volta che c'è una cosa cattiva, sull'altro lato c'è la cosa buona corrispondente e ogni volta che c'è una cosa buona, sull'altro lato c'è la cosa cattiva corrispondente.

Una persona cattiva è nascosta in ogni persona buona e una persona buona è nascosta in ogni persona cattiva. La persona buona ha il lato buono della propria moneta rivolto verso l'alto e il lato cattivo rivolto verso il basso. Quindi, se una persona buona diventa cattiva si rivela peggiore della peggiore persona cattiva. E se una persona cattiva diventa buona, la bontà di ogni persona buona sembra impallidire al suo confronto. In una persona cattiva la bontà è stata totalmente nascosta: si vede solo la cattiveria. Se cambia e diventa una persona buona, la bontà delle altre persone buone impallidirà: dal suo intimo scaturisce una forza nascosta e freschissima di bontà. Valmiki e Angulimala sono due buoni esempi: erano due uomini malvagi che un giorno diventarono buoni e per la loro bontà superarono tutti gli altri santi.

Una persona buona e una persona cattiva non sono diverse tra loro: sono due facce della stessa moneta. Ma il saggio è un terzo tipo di persona: nella sua interiorità non c'è bontà né cattiveria. La sua moneta è totalmente scomparsa. Un saggio non è un brav'uomo, né un gentiluomo, né un santo. Nel gentiluomo si nasconde sempre l'uomo malvagio e il gentiluomo si nasconde sempre nell'uomo malvagio. Il saggio è un fenomeno del terzo tipo: è andato oltre il bene e oltre il male, non ha più rapporti con nessuno dei due. È entrato in una dimensione totalmente diversa, in cui non si pone più la questione del bene o del male.

Un giovane monaco viveva in un villaggio in Giappone. Era molto famoso e la sua reputazione era altissima; tutto il villaggio lo venerava e lo rispettava: dovunque si tessevano le sue lodi. Ma un giorno tutto cambiò. Una giovane del villaggio rimase incinta e partorì un bambino. Quando i suoi familiari le chiesero di chi fosse figlio, la ragazza rispose che era del giovane monaco.

Quanto tempo occorre agli ammiratori per diventare nemici? *Quanto* tempo? Neppure un minuto, perché nella mente di un ammiratore si nasconde sempre la condanna. La mente aspetta solo l'opportunità, basta un attimo perché l'ammirazione scompaia ed esploda il biasimo. In un minuto la persona rispettosa può trasformarsi in una persona irriverente; non c'è differenza tra il rispetto e l'irriverenza, sono due facce della stessa moneta.

Gli abitanti dell'intero villaggio assalirono la capanna del giovane monaco. Gli avevano dimostrato rispetto per anni, ma in un attimo esplose tutta la rabbia che avevano represso: ora avevano l'opportunità di essere irriverenti, perciò corsero alla capanna del giovane monaco e le diedero fuoco, poi gli gettarono tra le braccia il neonato.

Il monaco chiese: «Che cosa succede?»

La gente gridava: «Tu ci chiedi che cosa succede? Questo bambino è tuo figlio. Dobbiamo spiegarti che cosa succede? Guarda la tua casa che brucia, guarda in fondo al tuo cuore, guarda questo bambino e guarda questa ragazza. Non sta a noi dirti che questo bambino è tuo figlio».

Il monaco esclamò: «È così? Questo è mio figlio?».

Il piccino cominciò a piangere, lui cominciò a cantare una canzone per calmarlo e la gente lo lasciò seduto vicino alla sua capanna ridotta in cenere. Quel pomeriggio, alla solita ora, andò a chiedere l'elemosina, ma chi gli avrebbe dato del cibo quel giorno? Ogni porta di fronte alla quale si fermava gli veniva sbattuta in faccia; una folla di bambini e di sfaccendati cominciò a seguirlo, beffandolo e tirandogli sassi. Raggiunse la casa della ragazza, madre del bambino. Le disse: «Posso non ricevere cibo per me, ma dammi almeno un po' di latte per questo bambino! Io posso essere in colpa, ma che colpa può avere questo povero piccino?».

Il bambino piangeva, la folla li circondava, per la ragazza la situazione divenne insostenibile; si gettò ai piedi del padre dicendo: «Perdonami, ho mentito quando ho fatto il nome del monaco. Volevo salvare il vero padre del bambino, così ho pensato di servirmi di questo monaco. Non ho alcuna familiarità con lui».

Il padre si agitò, era stato un grosso errore. Corse fuori dalla casa, cadde ai piedi del monaco e cercò di togliergli il bambino.

Il monaco chiese: «Che cosa succede?».

Il padre della ragazza esclamò: «Perdonami, c'è stato un errore. Questo bambino non è tuo figlio».

Il monaco rispose: «È così? Davvero questo bambino non è mio figlio?».

Allora gli abitanti del villaggio gli dissero: «Tu sei pazzo! Perché questa mattina non hai negato la tua paternità?».

Il monaco: «Che differenza poteva fare? Il bambino deve appartenere a qualcuno. Avevate già bruciato una capanna, ne avreste bruciata un'altra. Avevate goduto nell'insultare una persona, ne avreste insultata un'altra. Che differenza avrebbe fatto? Il bambino deve appartenere a qualcuno, potrebbe anche essere mio. Dov'è il problema? Qual è la differenza?».

E la gente replicò: «Ma non capisci che tutti ti hanno condannato, ti hanno insultato, ti hanno umiliato?».

Il monaco spiegò: «Se mi fossi preoccupato della vostra condanna, avrei dovuto interessarmi anche al vostro rispetto. Io faccio ciò che sento sia giusto, voi fate ciò che sentite giusto. Fino a ieri sentivate che era giusto rispettarmi, perciò mi rispettavate. Oggi avete sentito che era giusto non rispettarmi, perciò non mi avete rispettato. Ma io non sono interessato né al vostro rispetto né alla vostra irriverenza».

E la gente: «Oh, onorevole monaco, avresti almeno dovuto considerare che così avresti perso la tua buona reputazione!».

Egli rispose: «Io non sono né buono né cattivo. Sono semplicemente me stesso. Ho abbandonato l'idea del bene e del male. Ho abbandonato ogni interesse nel diventare buono, poiché più tentavo di diventare buono più scoprivo che diventavo cattivo. Più tentavo di sfuggire la cattiveria più scoprivo che la bontà scompariva da me; pertanto ho abbandonato del tutto quell'idea. Sono diventato assolutamente indifferente. E il giorno in cui divenni indifferente, scoprii che in me non era rimasta né la bontà né la cattiveria. Invece, era nato in me qualcosa di nuovo, migliore della bontà, in cui non c'è neppure l'ombra della cattiveria».

Un saggio è una persona del terzo tipo. Il viaggio di un ricercatore non porta a diventare un uomo buono, bensì saggio.

Perciò questo è il mio terzo punto: non decidere mai se un pensiero sorto nella tua mente sia buono o cattivo. Non condannare e non apprezzare. Non dire: «Questo è bene, questo è male». Siediti semplicemente di fianco al ruscello della mente, come se stessi seduto in riva a un fiume, e guarda indifferente l'acqua che scorre. L'acqua fluisce, portando con sé le pietre, le foglie e i pezzi di legno e tu osservi seduto in silenzio sulla riva.

Questi sono i tre punti dei quali volevo parlarvi questa mattina. Il primo: la forte assenza di paura nell'incontrare la vostra mente; il secondo: nessuna limitazione e nessun condizionamento alla vostra mente; il terzo: nessun giudizio su qualsiasi pensiero o desiderio sorga nella vostra mente. Nessun giudizio né buono né cattivo; il vostro atteggiamento dovrebbe essere semplice indifferenza. Questi tre punti sono necessari se si vogliono comprendere le perversioni della mente. Nel pomeriggio e in serata vi dirò che cosa potete fare per liberarvi da queste perversioni e per andare oltre, ma dovete ricordare questi tre punti fondamentali.

Ora, ci prepareremo per la meditazione del mattino.

Innanzitutto è necessario che comprendiate due punti su di essa, poi ci metteremo seduti per farla. Questa meditazione è un processo semplice e diretto. In realtà qualsiasi cosa abbia un significato nella vita è semplice e diretta. Nella vita, una cosa più è insignificante più è complicata, complessa. Nella vita, una cosa più è elevata più è semplice e diretta.

Questo è un processo molto semplice e diretto. La sola cosa che dovete fare è stare seduti in silenzio e ascoltare in silenzio il mondo di suoni che ci circonda. Ascoltare produce effetti meravigliosi; di solito non ascoltiamo mai. Se ora, mentre io parlo, voi pensate di ascoltarmi, cadete in un grosso errore. Un suono che colpisce il vostro orecchio non significa ascolto.

Se mentre io parlo, voi pensate, non mi ascoltate, perché la mente riesce a fare una sola cosa per volta, non ne fa mai due: potete ascoltare o pensare.

Mentre pensate, il vostro ascolto è bloccato; mentre mi ascoltate, i vostri pensieri rimangono bloccati. Perciò quando dico che ascoltare è un processo meraviglioso, intendo dire che, se ascoltate in silenzio, i vostri pensieri si bloccano spontaneamente perché una delle regole essenziali della mente è la sua incapacità di fare due cose contemporaneamente, ne è assolutamente incapace.

Un uomo si era ammalato. Per un anno le sue gambe erano rimaste paralizzate. I medici gli dissero che nel suo corpo non c'era traccia di paralisi: era la sua mente che la immaginava. Ma come poteva essere d'accordo: era paralizzato! Un giorno la sua casa andò a fuoco. Mentre la casa bruciava, tutti corsero fuori; e così fece anche l'uomo paralizzato. Mentre correva, pensava: "Mio Dio! Come può essere? Per un anno non sono stato capace neppure di alzarmi. Come mai ora riesco a camminare?".

Quell'uomo lo chiese a me, e io gli spiegai: «La mente non può pensare a due cose contemporaneamente. La paralisi era un pensiero della tua mente, ma quando la casa è andata a fuoco la tua mente è stata coinvolta totalmente dal fuoco, perciò il suo pensiero primario – che le tue gambe erano paralizzate – è scomparso e tu hai potuto correre fuori dalla casa! La mente può essere intensamente consapevole solo di una cosa per volta».

L'esperimento di questa mattina consiste nell'ascoltare in silenzio i suoni prodotti dagli uccelli, dal vento e tutta la cacofonia dei suoni che ci circondano. Ascoltateli in profondo silenzio. Focalizzate la vostra attenzione su una cosa sola: «Io ascolto. Ascolto totalmente tutto ciò che accade. Non faccio nient'altro, ascolto soltanto, ascolto totalmente».

Insisto molto sull'ascolto perché, se ascolterete totalmente, il moto perpetuo dei vostri pensieri cadrà nel silenzio assoluto; di fatto entrambe le cose non possono accadere simultaneamente. Quindi puntate tutti i vostri sforzi nell'ascolto. Questi sono sforzi positivi!

Se vi sforzaste di gettare via i vostri pensieri, cadreste nell'errore di cui vi ho appena parlato. Quelli sono sforzi negativi. Non potete gettare via i vostri pensieri, sforzandovi di liberarvene; ma se l'energia mentale, che usate abitualmente per pensare, comincerà a fluire in qualche altra direzione, allora i vostri pensieri si indeboliranno automaticamente.

I medici continuavano a dire a quell'uomo paralizzato: «Lascia perdere l'idea di essere paralizzato. In realtà non lo sei». Ma più l'uomo tentava di sbarazzarsi del pensiero di essere paralizzato più ricordava la propria paralisi. «Se non sono paralizzato, perché continuo a ripetermi: "Non sono paralizzato?"». Ogni volta che ripeteva: «Non sono paralizzato», approfondiva e rafforzava la sua sensazione di esserlo. La mente di quell'uomo aveva bisogno di una distrazione; non era necessario che eliminasse il pensiero di essere paralizzato: se avesse avuto l'opportunità di essere coinvolto in qualcos'altro, la sua paralisi sarebbe scomparsa, perché era una paralisi della mente e non del corpo. Era necessario che la sua mente si traesse del tutto in disparte, affinché la paralisi scomparisse.

Fortunatamente, la sua casa andò a fuoco. Può accadere che un apparente disastro, successivamente si dimostri invece un evento fortunato. Quella volta fu una fortuna per lui che la sua casa andasse a fuoco: tutta la sua attenzione si concentrò improvvisamente sul fuoco, e la sua mente scivolò via dal pensiero primario della paralisi e quell'illusione scomparve d'incanto. Era un'illusione, niente di più. In realtà non c'erano impedimenti reali, c'era solo una trama di pensieri. Quando la mente dell'uomo fu distratta, i suoi pensieri appassirono e morirono, poiché i vostri pensieri si nutrono della vostra attenzione.

I pensieri non hanno una vita propria. Più attenzione dai a un pensiero, più gli dai vita. Più gli togli la tua attenzione, più si avvia a morire. Se distogli del tutto l'attenzione dai tuoi pensieri, togli loro ogni vitalità: muoiono, scompaiono immediatamente.

Ecco perché vi dico che dovete puntare tutta l'attenzione sull'ascolto. Decidete che anche il canto più fievole di un uccello non deve passare inudito, che non dovete perderlo. Dovete udire tutto ciò che accade intorno a voi, dovete udire proprio tutto; allora scoprirete all'improvviso che la mente entrerà in un silenzio profondo e che i pensieri svaniranno.

Dovete fare una sola cosa: dovete semplicemente rilassare il corpo. Ieri vi ho detto che come prima cosa dovete tendere al massimo la mente, ma forse mi avete frainteso. Rilassate la mente, non tendetela; non è necessario: se vi lasciaste prendere dall'idea di tendere la mente, diventerebbe un problema. Perciò lasciate perdere quell'idea, non fa parte della meditazione. Vi avevo detto di farlo solo perché poteste avere un'idea di ciò che è una mente tesa e di ciò che è una mente rilassata. Non preoccupatevi più di questa idea. Lasciatela perdere. Ora rilassatevi. Rilassate la mente. Rilassate tutto il tessuto cerebrale in tensione e tutti i nervi del cervello. Ora vi occorre rilassamento; non avete bisogno di imparare a tendere la mente. Dovete dimenticare l'arte di tenere la mente in tensione. Vi avevo detto di farlo solo perché poteste comprendere il contrasto che c'è tra una mente tesa e una mente rilassata. Adesso lasciate perdere tutto ciò che non riuscite a comprendere. Rilassatevi e basta.

Per favore, ciascuno di voi si sieda a una certa distanza dagli altri. Nessuno dovrebbe toccare qualcun altro. Usate tutto lo spazio, in modo che nessuno tocchi qualcun altro.

Lasciate che il corpo si rilassi totalmente e poi chiudete lentamente gli occhi. Dovete chiudere gli occhi delicatamente, in modo che in essi non rimanga alcuna tensione. Non dovete chiudere ermeticamente gli occhi, altrimenti sentirete una tensione. I muscoli degli occhi sono in stretta relazione con la mente, perciò lasciateli assolutamente rilassati. Lasciate che le palpebre scendano così come scendono nei bambini: lentamente, in modo rilassato. Poi rilassate i muscoli del viso e della testa. Avete visto il viso di un bambino piccolo: è assolutamente rilassato, per niente teso; rendete il vostro viso simile al suo, del tutto sciolto e rilassato. Lasciate che anche il corpo si rilassi. Nel momento in cui ogni parte di voi sarà rilassata, il respiro automaticamente diventerà silenzioso e rilassato.

Poi fate una cosa sola: ascoltate in silenzio ogni suono intorno a voi. Un corvo fa il suo verso, un uccello canta, un bambino parla per la strada... ascoltateli in silenzio. Continuate ad ascoltare, ascoltate semplicemente... e tutto in voi diventa silenzioso.

Ascoltate, ascoltate in silenzio per dieci minuti. Lasciate che la vostra attenzione sia tutta assorbita dall'ascolto. Siate solo ascolto, non fate altro.

Ascoltate... gli uccelli cantano, il vento scuote gli alberi... qualsiasi suono vi arrivi, ascoltatelo in silenzio.

Ascoltate... e, a poco a poco, in voi comincia ad affiorare un mormorio di silenzio.

La mente sta diventando silenziosa. Continuate ad ascoltare, ascoltare e ascoltare. La mente sta diventando silenziosa, la mente sta diventando silenziosa.. la mente sta diventando sempre più silenziosa...

La mente è diventata silenziosa, la mente è diventata assolutamente silenziosa. In voi c'è un profondo silenzio. Ascoltatelo, ascoltatelo semplicemente. Ascoltate... e, a poco a poco, la mente diventa silenziosa.

La mente sta diventando ancor di più silenziosa, la mente sta diventando assoluto silenzio... la mente diventa il silenzio... Continuate ad ascoltare e ad ascoltare, la mente sta entrando nel silenzio assoluto...

*Quinto discorso*

# La vera conoscenza

Amici carissimi,

lo stato della mente dell'uomo è simile a un alveare ronzante di api: pensieri e pensieri e pensieri ronzano intorno alla vostra mente, in continuazione. Circondato da questi pensieri, l'uomo vive in modo ansioso, teso e preoccupato. Per riconoscere e comprendere la vita, la mente ha bisogno di essere silenziosa come un lago calmo e senza onde. Per familiarizzarsi con la vita, la mente ha bisogno di essere limpida come uno specchio senza neppure un granello di polvere.

Voi tutti avete una mente simile a un alveare ronzante di api: non è simile a uno specchio né a un lago silenzioso. Se, con una mente simile, pensate di essere in grado di conoscere, di realizzare o di diventare qualcosa, commettete un errore madornale. È assolutamente necessario che vi liberiate da questo flusso costante di pensieri.

Avere pensieri su pensieri su pensieri che vi ronzano intorno non è segno di una mente sana, bensì di una mente malata. Quando la mente è totalmente pura e pulita, quando è sana, i pensieri scompaiono. La consapevolezza rimane, ma i pensieri scompaiono. Quando la mente è malata e folle, la consapevolezza scompare e rimane soltanto una folla di pensieri. Voi vivete dentro quella folla di pensieri. Dalla mattina alla sera, dalla sera alla mattina, dalla nascita alla morte, vivete dentro una folla di pensieri.

Come potete liberarvene? Questa mattina ho detto qualcosa in merito, e voi mi avete scritto delle domande su ciò che ho detto. Ora risponderò.

La prima cosa: liberarsi dai pensieri costituisce il secondo passo; il primo passo consiste nel non crearsi una folla di pensieri in partenza. Se da un lato continui a raccogliere pensieri e dall'altro tenti di liberartene, come risolverai la situazione? Se vuoi liberarti dalle foglie di un albero e continui a innaffiare le sue radici, come riuscirai a liberarti dalle sue foglie? Se innaffi le radici, sembra che non ti rendi conto che esiste una relazione tra le radici e le foglie, una relazione profonda. Le radici e le foglie sembrano separate, ma non lo sono affatto e l'acqua che dai alle radici risale nell'albero fino a raggiungere le foglie.

Quindi raccogliendo miriadi di pensieri innaffi le loro radici e poi, quando creano disturbo e disagio alla mente, vuoi trovare un modo per ridurli al silenzio. Ma se vuoi che l'albero smetta di far germogliare le sue foglie, devi smettere di innaffiarne le radici. Dovresti comprendere che cosa fai per innaffiare le radici dei tuoi pensieri; se arriverai a comprenderlo, potrai smettere. Allora in poco tempo le foglie avvizziranno.

Ebbene, che cosa fai per innaffiare le radici dei tuoi pensieri?

Per migliaia di anni l'uomo ha avuto l'illusione di poter raggiungere la conoscenza accumulando i pensieri di altra gente. Questo è assolutamente falso e sbagliato: nessuno potrà mai raggiungere alcuna conoscenza, accumulando i pensieri di altri. La conoscenza sorge dalla tua interiorità e i pensieri provengono dall'esterno. La conoscenza è tua e i pensieri sono sempre di altri, sempre presi in prestito. La conoscenza è la pulsazione del tuo stesso essere, è l'affiorare di ciò che sta nascosto nel tuo essere. I pensieri sono una raccolta di ciò che hanno detto gli altri... puoi raccoglierli dalla *Gita*, dal Corano, dalla Bibbia o da qualsiasi insegnante o capo religioso.

Qualsiasi cosa hai appreso dagli altri non diventa una conoscenza tua: diventa un modo e un mezzo per celare la tua ignoranza. E chi cela la propria ignoranza non potrà mai raggiungere la conoscenza, poiché in te si forma l'idea che la conoscenza altrui sia tua e ti aggrappi a essa con tutto il tuo essere. Ti aggrappi ai tuoi pensieri e non hai il coraggio sufficiente per liberartene. Li sostieni perché pensi che costituiscano la tua conoscenza e che, se li perdessi, diventeresti ignorante. Ma ricordati che, per quanto tu possa aggrapparti ai tuoi pensieri, tramite loro non raggiungerai mai la vera conoscenza.

Quando qualcuno vuole scavare un pozzo inizia rimuovendo la terra e le pietre, dopo di che l'acqua comincia a filtrare dalle pareti del pozzo fino a riempirlo. L'acqua c'era già, non era necessario portarla lì; occorreva solo rimuovere le pietre e gli strati di terra. C'erano delle ostruzioni, degli ostacoli e, dopo averli rimossi, l'acqua è apparsa. Non occorreva portare l'acqua al pozzo, era già presente; era necessario solo rimuovere le ostruzioni.

La conoscenza è già presente in te, non c'è bisogno che tu la prenda in prestito da qualcun altro. Le sue sorgenti sono nascoste in te: devi solo scavare per rimuovere gli ostacoli – le pietre e la terra – che l'ostruiscono. A quel punto cominceranno ad apparire in te le sorgenti della conoscenza.

Ma puoi costruire un pozzo oppure uno stagno. Costruire uno stagno è una cosa diversa. Per farlo non hai bisogno di cercare una sorgente naturale d'acqua: il metodo è esattamente l'opposto di quello usato per costruire un pozzo. Per costruire uno stagno, non hai bisogno di scavare per rimuovere le pietre e la terra; al contrario, devi prelevarli da qualche altro luogo e portarli lì per usarli come bacino. E dopo aver costruito il bacino, l'acqua non arriverà da sola: dovrai prenderla dal pozzo di qualcun altro per farla arrivare nello stagno. In superficie, lo stagno ti dà l'illusione di essere un pozzo. Sembra un pozzo: puoi vedere l'acqua in uno stagno così come la vedi in un pozzo, ma la differenza tra i due è la stessa che esiste tra la Terra e il cielo. La prima differenza è che lo stagno non ha acqua propria.

In questo mondo, nessuna sete dell'uomo verrà spenta da qualcosa che non sia suo. Tutto ciò che esiste in uno stagno è preso in prestito; in poco tempo diventa fermo e stantio perché tutto ciò che è preso in prestito non è vivo, è morto. L'acqua di uno stagno è ferma, imputridisce e in breve emana cattivo odore. Il pozzo invece ha una propria sorgente e la sua acqua non diventa mai stantia; un pozzo vive grazie a un proprio flusso sorgivo.

Nello stagno e nel pozzo accadono due processi differenti. Lo stagno ha paura che qualcuno gli porti via l'acqua, perché senza rimarrà vuoto. Il pozzo invece vuole che qualcuno prelevi la sua acqua, affinché possa sgorgarne di più fresca e più viva. Il pozzo grida: «Prendete la mia acqua, voglio condividerla!». Lo stagno urla: «State lontani. Non toccate la mia acqua, non prendetela!». Lo stagno desidera qualcuno che abbia acqua da portargli, per immetterla nel suo bacino e aumentarne il volume. Ma se qualcuno ha un secchio, il pozzo desidera che costui si avvicini e prelevi la sua acqua: così potrà liberarsi dall'acqua vecchia e dalla sua sorgente sgorgherà acqua nuova. Il pozzo vuole condividere, lo stagno vuole trattenere. Il pozzo ha ruscelli sotterranei connessi con l'oceano: sembra piccolo, ma in profondità è collegato con l'infinito. Per quanto grande possa sembrare, lo stagno invece non è collegato con nient'altro: termina in se stesso, è chiuso. Non ha ruscelli sotterranei: non ha modo di collegarsi con l'infinito.

Se qualcuno si avvicinasse a uno stagno e gli parlasse dell'oceano, scoppierebbe in una risata e risponderebbe: «Non esiste niente di simile. Tutto è uno stagno. L'oceano non esiste affatto». Lo stagno non ha alcuna idea dell'oceano.

Se qualcuno invece esprimesse apprezzamenti sulla bellezza del pozzo, questo penserebbe: "Che cosa c'è di mio? Tutto proviene dall'oceano. Io che cosa sono? Tutto ciò che arriva in me è collegato a qualcos'altro di molto più lontano". Un pozzo non può avere un "io" né la sensazione: "Io sono"; invece uno stagno ha un ego e la sensazione: "Io sono". La cosa interessante da notare è che il pozzo è vasto, invece lo stagno è limitato; il pozzo ha una ricchezza propria, lo stagno non ne ha alcuna.

La mente umana può diventare un pozzo oppure uno stagno: queste sono le due sole possibilità che ha per evolversi; quando diventa uno stagno, piano piano conduce l'uomo alla pazzia.

Tutte le vostre menti sono diventate stagni: non avete creato pozzi, avete creato solo stagni. Raccogliete nozioni da tutto il mondo – dai libri, dalle sacre scritture, dagli insegnamenti – raccogliete di tutto e poi pensate di essere colti. Avete commesso lo stesso errore che commette lo stagno; lo stagno infatti pensa di essere un pozzo: l'illusione è creata dal fatto che in entrambi esiste l'acqua.

Potete trovare il sapere in uno studioso, in un insegnante e in una persona consapevole; ma uno studioso è uno stagno, la persona consapevole è un pozzo. C'è una differenza enorme tra i due, e non potete neppure immaginare quanto sia grande e profonda questa differenza. Il sapere di uno studioso è preso in prestito, è stantio e putrefatto. Tutti i guai sorti nel mondo sono stati causati dal sapere degli studiosi. Le loro lotte diventano lotte tra hindu e maomettani, sono lotte tra gli studiosi. Il contrasto tra un hindu e un jaina è il contrasto tra studiosi. Sono tutti contrasti tra studiosi, sono tutte lotte tra mentalità putrefatte, prese in prestito e stagnanti.

Tutti i guai accaduti nel mondo sono stati causati da menti diventate stagni. Al di fuori di questo, nel mondo esistono solo esseri umani: nessuno è cristiano, né hindu, né musulmano, né jaina. Queste sono solo etichette per gli stagni. Lo stagno si appiccica un'etichetta; sull'etichetta c'è il nome del pozzo dal quale ha prelevato la propria acqua: qualcuno ha prelevato l'acqua dalla *Gita* perciò è un hindu, qualcuno ha prelevato l'acqua dal Corano perciò è un musulmano.

Una persona consapevole non preleva l'acqua dagli altri, la sua acqua sgorga dalla sua interiorità. Sgorga dall'esistenza, perciò non può essere né un hindu, né un musulmano, né un cristiano. Una persona consapevole non può appartenere ad alcuna setta, viceversa lo studioso non può esistere senza una setta di appartenenza. Dovunque troviate uno studioso, vedrete che appartiene a una setta.

Avete ridotto la vostra mente a una cosa stantia, presa in prestito, e poi vi ci aggrappate. Come vi ho detto, lo stagno grida: «Non prendete la mia acqua! Se mi portate via l'acqua, rimarrò vuoto, in me non ci sarà più niente. Ho preso in prestito la mia ricchezza, perciò nessuno dovrebbe portarmela via!».

Ricorda, la ricchezza che diminuisce con l'uso è stata

sempre presa in prestito, è falsa; viceversa la ricchezza che aumenta con l'uso è vera. La ricchezza che, se condivisa, si esaurisce non è ricchezza: è solo un accumulo. Solo la ricchezza che, se condivisa, aumenta è vera ricchezza. Di conseguenza, la natura della ricchezza è tale per cui, se condivisa, aumenta; se diminuisce quando è condivisa, non è ricchezza. Inoltre, se hai paura che la tua ricchezza si esaurisca, condividendola, devi custodirla con estrema attenzione; pertanto, ogni ricchezza presa in prestito diventa un problema. Poiché questa ricchezza non è mai reale, sorge in te la paura che possa sparire e quindi ti ci aggrappi ancor più tenacemente.

Ti aggrappi fortemente ai tuoi pensieri. Ti curi più di loro che della tua stessa vita. Tutte queste cianfrusaglie, accumulate nella tua mente, non si trovano là per caso: tu le hai predisposte, le hai raccolte e te ne prendi cura.

Quindi, se pensi che la conoscenza sorga in te accumulando pensieri, non sarai mai in grado di liberartene. Come potresti? Sarebbe come se tu innaffiassi le radici di un albero e poi tagliassi le sue foglie: non potrai mai liberartene.

Perciò la cosa fondamentale da comprendere è che la conoscenza e la tua raccolta di pensieri sono due cose diverse. I pensieri acquisiti o presi in prestito dagli altri non sono conoscenza. I pensieri presi da sorgenti esterne non conducono l'uomo alla verità o alla conoscenza di sé. Questa conoscenza è falsa: è solo pseudosapere; crea in te l'illusione di avere raggiunto la conoscenza, ma in realtà non conosci nulla, rimani ignorante.

Sei nella stessa situazione di colui che ha letto molti libri sul nuoto e ha appreso tantissimo sulle tecniche del nuoto, perciò se dovesse fare un discorso o scrivere un libro, potrebbe farlo; ma se qualcuno lo facesse cadere nell'acqua di un fiume, dimostrerebbe chiaramente di non essere capace di nuotare. Ha letto e appreso tutto sul nuoto, conosce a fondo la teoria, ma in pratica non è capace di nuotare.

Un tempo viveva un fachiro musulmano chiamato Nasruddin. Una volta, mentre era seduto in barca e attraversava un fiume, si mise a chiacchierare con il barcaiolo. Nasruddin era considerato una persona molto colta. Se alla gente colta capita l'opportunità di dimostrare l'ignoranza di qualcuno, non se la lascia mai sfuggire. Nasruddin chiese dunque al barcaiolo: «Sai leggere?».

Il barcaiolo rispose: «No, sono bravo a parlare, ma non so né leggere né scrivere».

Nasruddin dichiarò: «Hai sciupato un quarto della tua vita in cose futili: infatti, se non sai leggere, come potresti conquistare una qualsiasi conoscenza nella tua vita? Come può l'uomo conquistare una qualsiasi conoscenza senza saper leggere?». Il barcaiolo non rispose, ma cominciò a ridacchiare tra sé e sé...

Dopo un po' Nasruddin gli chiese: «Sai qualcosa di matematica?».

Il barcaiolo rispose: «No, non so niente di matematica. So solo contare sulle dita».

Nasruddin sentenziò: «Hai sciupato un altro quarto della tua vita in cose futili: infatti l'uomo che non sa niente di matematica, che non sa neppure fare calcoli, non può guadagnare molto per vivere. Come potrebbe? Per guadagnare qualcosa, si deve saper fare i conti. Che cosa potresti guadagnare? Hai speso metà della tua vita in cose futili».

All'improvviso scoppiò un temporale che ben presto divenne un uragano: la barca si capovolse e affondò.

Il barcaiolo chiese al suo cliente: «Sai nuotare?».

Nasruddin urlò: «No, non so nuotare!».

Il barcaiolo gli gridò: «Hai sciupato tutta la tua vita. Io me ne vado. Non so niente di matematica e non so leggere, ma so nuotare. Non posso che abbandonarti... Hai sciupato tutta la tua vita!».

Esistono verità che puoi conoscere solo con il tuo Sé: non è possibile conoscerle attraverso i libri o le sacre scritture. Puoi conoscere la verità dell'anima o la verità dell'esistenza solo con il tuo Sé, non c'è un altro modo.

Possiamo leggere e comprendere le cose che stanno scritte nelle sacre scritture, impararle a memoria, possiamo parlarne con gli altri, ma non possiamo ricavarne alcuna conoscenza. Accumulare i fatti e le opinioni altrui non è una prova di conoscenza, è solo una prova di ignoranza. Colui che è consapevole e risvegliato è libero da tutto questo "sapere". Per lui non si pone il problema di raccogliere altri elementi, egli conosce se stesso. Grazie a questa conoscenza di sé, la sua mente non è più un alveare ronzante: è simile a uno specchio, a un lago silenzioso.

La tua mente è un alveare ronzante di pensieri che hai allevato perché pensavi costituissero la conoscenza. Hai dato loro uno spazio nella tua casa, hai dato loro una residenza; hai trasformato la tua mente in un caravanserraglio: qualsiasi nuovo arrivato può rimanere per tutto il tempo in cui indossa l'abito della conoscenza; questo gli dà il diritto di restare. E nel caravanserraglio la folla è andata aumentando, è cresciuta al punto da renderti difficile decidere chi sia il padrone; gli ospiti sono così rumorosi che chi grida più forte diventa il padrone: tu non sai più chi sia il vero padrone. Ogni pensiero urla e rivendica di essere lui il padrone, e poiché il tuo caravanserraglio è affollatissimo è diventato impossibile riconoscere il vero padrone.

Nessun pensiero vuole andarsene. Come puoi ottenere che se ne vada, quando tu stesso l'avevi invitato a rimanere? È facile invitare un ospite, ma non è altrettanto facile liberarsi di lui. Per migliaia di anni questi ospiti hanno continuato a radunarsi nella mente dell'uomo e, se io ti chiedessi di accomiatarti da loro oggi stesso, non riusciresti a liberartene con facilità.

Ma se comprendessi la natura delle tue illusioni, ti sarebbe possibile liberartene. Sei affezionato a questi pensieri perché hai l'illusione che costituiscano la conoscenza; quindi la prima cosa che devi comprendere è che tutti i pensieri che hai preso in prestito dagli altri sono inutili. Se lo comprenderai chiaramente, taglierai le radici stesse della tua raccolta di pensieri e di idee; smetterai di innaffiarle.

Un vecchio saggio stava attraversando la giungla in compagnia di un suo giovane monaco. Scese la notte e cominciarono a calare le tenebre. Il vecchio saggio chiese al giovane monaco: «Figlio mio, credi che lungo questo sentiero ci siano pericoli? Questo sentiero attraversa una fitta foresta e stanno calando le tenebre. Abbiamo qualcosa da temere?».

Il giovane monaco era molto sorpreso, poiché in un *sannyasin* non dovrebbe mai sorgere il problema di avere paura, sia che si trovi in una notte buia oppure illuminata, sia che si trovi in una foresta oppure sulla piazza del mercato, quindi quella domanda era davvero sorprendente. Inoltre, questo vecchio non aveva mai avuto paura. Che cosa gli stava accadendo? Perché adesso mostrava di aver paura? C'era qualcosa che non andava!

Camminarono ancora un po' e la notte diventò più buia. Il vecchio chiese di nuovo: «C'è qualcosa di cui dobbiamo preoccuparci? Raggiungeremo presto la città più vicina? Quanto è ancora distante?». Poi si fermarono vicino a un pozzo per lavarsi le mani e il viso. Il vecchio consegnò al giovane monaco la borsa, che portava in spalla, dicendogli: «Abbi cura della mia borsa».

Il giovane pensò: "Certamente deve contenere qualcosa, altrimenti non sarebbe sorto in lui il problema della paura e non mi avrebbe raccomandato di prendermi cura della borsa".

Per un *sannyasin* era insolito anche il fatto di prendersi cura di qualcosa; in questo caso, non avrebbe senso diventare *sannyasin*, infatti chi ha delle cose da custodire ha una proprietà. Che bisogno ha un *sannyasin* di prendersi cura di qualcosa?

Il vecchio cominciò a lavarsi il viso e il giovane diede uno sguardo nella borsa: vide che conteneva un lingotto d'oro, e comprese la causa della paura. Lo gettò via, e mise nella borsa una pietra di uguale peso. Il vecchio, subito dopo, tornò in fretta dal giovane e si riprese la borsa; la tastò, ne verificò il peso sollevandola, se la mise sulla spalla e si rimise in cammino.

Dopo un breve tratto, tornò a chiedere: «Sta diventando proprio buio, abbiamo perso la strada? C'è qualche pericolo?».

Il giovane gli rispose: «Non avere paura. Ho gettato via la tua paura».

Il vecchio saggio era sconvolto. Guardò immediatamente nella borsa e vide che al posto dell'oro c'era una pietra. Per un attimo rimase attonito e poi, scoppiando in una risata, esclamò: «Che idiota sono stato! Portavo in spalla una pietra e avevo paura perché credevo fosse un lingotto d'oro». A quel punto, la gettò via e disse al giovane monaco: «Dormiremo qui questa notte, visto che al buio è difficile trovare la strada». E quella notte dormirono pacificamente nella foresta.

Se credi che i tuoi pensieri e le tue idee siano lingotti d'oro, ne hai la massima cura e vivi profondamente attaccato al tuo tesoro. Ma io voglio dirti che non sono affatto lingotti: sono pesanti pietre. Ciò che tu pensi sia conoscenza non lo è affatto e non è oro: è solo un ammasso di pietre.

La conoscenza che hai ricevuto dagli altri è solo un ammasso di pietre: è oro solo la conoscenza che sgorga dal tuo Sé. Il giorno in cui ti renderai conto di aver portato una pietra nella tua borsa, la questione si risolverà da sola, e tu non avrai alcuna difficoltà nel gettare via quella pietra.

Non c'è alcuna difficoltà nel gettare via l'immondizia, ma è molto difficile sbarazzarsi dell'oro. Finché sentirai che i tuoi pensieri formano la tua conoscenza, non potrai gettarli via e la tua mente rimarrà in subbuglio. Potrai tentare mille modi per calmarla, ma non serviranno a niente. In cuor tuo, tu vuoi che i pensieri rimangano perché pensi che formino la tua conoscenza. Nella vita le maggiori difficoltà sorgono dal fraintendimento che qualcosa sia ciò che invece non è; in questo caso sorgono guai di ogni tipo. Se qualcuno pensa che una pietra sia un lingotto d'oro, sorgono problemi. Se qualcuno si rende conto che una pietra è una pietra, ha risolto ogni problema.

Ebbene, il tesoro dei tuoi pensieri non è un tesoro reale: devi comprenderlo! Come fare per comprenderlo? Lo comprendi forse perché io affermo che è così? Se tu lo comprendessi solo perché io lo affermo, la tua comprensione sarebbe presa in prestito e sarebbe inutile. Non devi comprendere qualcosa perché io affermo che è così: devi vederla, devi ricercarla e riconoscerla da solo.

Se il giovane monaco avesse detto al vecchio: «Riprendiamo il cammino. Non devi avere paura. Nella tua borsa non c'è oro, ma una pietra», per il vecchio non avrebbe fatto alcuna differenza, fino a quando non avesse visto con i suoi stessi occhi che era proprio così. Se il giovane glielo avesse semplicemente detto, il vecchio non avrebbe mai creduto che fosse vero; avrebbe preso in giro il giovane pensando che era solo un ragazzo ignorante, che non sapeva niente. Oppure, se accettava le parole del giovane, gli avrebbe creduto, ma la sua accettazione sarebbe stata falsa e nel suo intimo avrebbe mantenuto l'idea di portare in salvo quel lingotto d'oro. Solo l'aver visto la pietra con i suoi stessi occhi creò in lui la differenza.

Quindi, è necessario che tu guardi nella borsa della tua mente per vedere se ciò che tu ritieni conoscenza, sia vera conoscenza, oppure se hai raccolto solo immondizia. Hai raccolto i *sutra* della *Gita*, i versetti dei *Veda*, le parole di Mahavira e del Buddha; non fai che ricordarli, ci pensi continuamente, trovandovi significati profondi. Continui a rileggerli e a scriverne commenti, li discuti con gli altri, creando in te una follia assoluta. La vera conoscenza non ha niente a che fare con questa follia, da cui non è mai scaturita alcuna fiamma, alcuna luce nella tua vita.

Raccogliendo questa immondizia hai creato in te l'illusione di aver conquistato un'enorme ricchezza di conoscenza e di essere diventato un grande maestro, di possedere ormai così tanto che la tua cassaforte è colma; così vivrai la tua vita e così la distruggerai.

In un monastero viveva un giovane monaco. Vi era arrivato per sedersi alla presenza di un vecchio saggio, ma dopo pochi giorni cominciò a sentire che il vecchio non aveva alcuna conoscenza. Ascoltando sempre le stesse cose ogni giorno, si era stancato. Pensò dunque di lasciare quel monastero e cercare un Maestro altrove: questo non era posto per lui.

Il giorno in cui voleva partire, un altro monaco arrivò in visita al monastero. Quella notte, i residenti si radunarono e dissertarono su molti argomenti. Il nuovo monaco era molto colto e sapeva molte cose, era acuto e intuitivo, era dotato di profondità e di intensità; e il giovane monaco pensò: "Così dovrebbe essere un Maestro". In due ore il nuovo arrivato aveva ipnotizzato tutti. Il giovane monaco pensò che il vecchio Maestro doveva sentirsi profondamente addolorato e depresso per essere ormai così anziano e per non avere ancora imparato niente, mentre il nuovo venuto era già così colto.

Dopo due ore, terminate le dissertazioni, il monaco ospite guardò il vecchio Maestro e gli chiese: «Ti sono piaciuti i miei discorsi?».

Il vecchio rispose: «I *tuoi* discorsi? Tu parlavi, ma neppure una di quelle parole era tua. Ascoltavo molto attentamente per udire qualcosa di tuo, ma tu non hai detto proprio niente».

Il monaco ospite replicò: «Se non ero io che parlavo, allora chi ha parlato nelle ultime due ore?».

Il vecchio spiegò: «Se vuoi conoscere la mia opinione sincera e autentica, solo i libri e le sacre scritture parlavano attraverso te: non eri tu che parlavi. Tu non hai detto una sola parola. Stavi ributtando fuori, vomitavi tutto quello che avevi accumulato. A causa di questo tuo vomitare, ho il timore che tu sia molto ammalato. Per due ore non hai fatto altro che vomitare ogni cosa che avevi collezionato nel tuo stomaco e hai riempito tutta la stanza con la sporcizia e il fetore di tutto ciò. Non ho potuto annusare neppure una lieve fragranza della tua conoscenza, poiché quanto si apprende dall'esterno e poi si ributta fuori avrà inevitabilmente il fetore del vomito. Tu non hai detto niente di tuo: non hai detto una sola parola che fosse tua».

Dopo aver ascoltato quelle parole del vecchio saggio, il giovane monaco, che prima era intenzionato a lasciare il monastero, decise di rimanere. Quel giorno, per la prima volta, aveva compreso che esistono diversi tipi di sapere.

Un tipo è quello che raccogliamo dall'esterno, l'altro – la conoscenza – è quello che sorge dal nostro essere. Tutto ciò che raccogliamo dall'esterno diventa una limitazione, non ci libera. Ciò che sorge dal nostro essere ci libera.

Perciò la prima cosa da fare è guardarsi dentro: tutto ciò che sai è vera conoscenza? È necessario che interroghi ogni pensiero e ogni parola che sai: è vera conoscenza? Se la risposta è: «Non so», allora i lingotti d'oro accumulati nella tua vita a poco a poco si trasformano in pietre. È possibile ingannare chiunque, ma è impossibile ingannare se stessi.

Nessuno riesce a ingannare se stesso. Se non sai, non sai. Se ti chiedo: «Conosci la verità?» e tu annuisci, e rispondi: «Sì, la conosco», non sei autentico. Chiedi a te stesso: «Conosco la verità, oppure ho solo accettato come vere le cose che ho udito? E se non ho la conoscenza, allora queste verità non valgono un centesimo. Come potrebbe cambiare la mia vita qualcosa che non conosco? Solo la verità che conosco può creare una rivoluzione nella mia vita. La verità che non conosco non vale un centesimo, è falsa. E non è affatto la verità: sono tutte nozioni prese in prestito e non cambieranno mai niente nella mia vita».

Sarebbe come se ti chiedessi: «Conosci la tua anima?» e tu mi rispondessi: «Sì, la conosco, perché ho letto tutto sull'anima e i preti che predicano nelle nostre chiese insegnano che l'anima esiste». L'uomo memorizza tutto ciò che gli insegnano, come un pappagallo, ma questa memorizzazione non ha niente a che fare con la conoscenza. Se sei nato in una famiglia hindu, diventi un tipo di pappagallo; se sei nato in una famiglia jaina, diventi un altro tipo di pappagallo e se sei nato in una famiglia musulmana, diventi un terzo tipo di pappagallo... ma in ogni caso diventi comunque un pappagallo.

Continuerai a ripetere per tutta la vita ciò che ti hanno insegnato. Poiché vivi circondato da un'infinità di pappagalli, nessuno solleva obiezioni e nessuno discute. Gli altri pappagalli annuiscono con il capo e ti dicono: «Hai assolutamente ragione», perché hanno imparato le stesse cose che hai imparato tu. Nei raduni religiosi, i capi religiosi insegnano e gli ascoltatori annuiscono con il capo e sono d'accordo, poiché ciò che i capi religiosi hanno imparato è identico a ciò che hanno imparato anche tutti loro. Entrambe le parti partecipano, pensando che tutti i presenti abbiano imparato le stesse cose, e tutti annuiscono e concordano: «Sì, ciò che stanno dicendo è assolutamente giusto. Le stesse cose sono scritte anche nei nostri libri. Le abbiamo lette anche noi».

Tutta l'umanità è stata ingannata su ciò che è la conoscenza. Questo inganno è una cospirazione ai danni dell'uomo. Tutto questo sapere deve essere ripulito e gettato via, solo allora potrai aprirti alla vera conoscenza, alla luce della quale potrai sperimentare l'esistenza e vedere la fiamma dell'anima. Ciò non è possibile con una pseudoconoscenza. La pseudoconoscenza non è affatto una luce: la casa è buia, la lampada è spenta, ma gli uomini si convincono a vicenda – e ciascuno lo spiega all'altro – che la lampada è accesa. Dopo averlo udito ripetere continuamente, anche tu hai cominciato a dire che la lampada è accesa. Poiché da qualche parte nel tuo intimo hai paura, in quanto tutti sostengono che, se non vedi la lampada accesa, andrai all'inferno. Tutti gli altri dicono di vedere la lampada accesa, quindi, piano piano, anche tu cominci a vederla.

C'era una volta un grande re. Un mattino, uno straniero misterioso gli si avvicinò e gli disse: «Poiché hai conquistato tutta la Terra, gli abiti dei comuni mortali non ti si addicono più. Ti porterò gli abiti che indossano gli dei». La mente del re fu presa da cupidigia. Il suo intelletto diceva: "Come mai gli dei sono vestiti?". L'intelletto dubita perfino che gli dei esistano. Ma il re era avido, perché pensava che, forse gli dei esistevano da qualche parte e che, se quell'estraneo gli avesse portato i loro abiti, egli sarebbe stato il primo uomo sulla Terra, e nella storia del genere umano, a indossare gli abiti di un dio. Inoltre, come avrebbe potuto quell'uomo ingannare proprio lui? Era un grande imperatore, che possedeva miliardi e se anche quell'uomo gli avesse chiesto qualche migliaio di rupie in cambio di quei vestiti, non avrebbe perso nulla. Perciò domandò: «Benissimo, quanto mi costerà?».

L'uomo rispose: «Ti costerà almeno dieci milioni di rupie, perché per raggiungere gli dei dovrò pagare parecchie tangenti. Non intascano le tangenti solo gli uomini, anche gli dei sono molto astuti e chiedono tangenti. Un uomo contratterebbe ben poco, rispetto agli dei: essi prendono in considerazione solo quantità ingenti di denaro, per questo mi occorrono almeno dieci milioni di rupie».

Il re rispose: «Benissimo, non c'è problema. Ma ricordati: se mi ingannerai, ti costerà la vita. A partire da oggi le mie guardie armate sorveglieranno la tua casa».

All'uomo furono consegnati dieci milioni di rupie e la sua casa fu sorvegliata da guardie armate. Tutto il vicinato era sorpreso, meravigliato. Non riuscivano a crederci, pensavano: "Dove *stanno* gli dei? Dove *sta* il loro paradiso? Non sembra che quest'uomo vada e venga", e infatti se ne stava in casa sua e diceva a tutti: «Fra sei mesi, vi mostrerò gli abiti degli dei». Tutti erano dubbiosi, ma il re se ne disinteressò poiché l'uomo era ben sorvegliato; non poteva fuggire, né poteva ingannarlo.

Ma l'uomo era molto più intelligente del re: dopo sei mesi uscì di casa tenendo in mano una bellissima scatola e disse ai soldati: «Andiamo a palazzo. Oggi è il gran giorno, sono arrivati gli abiti».

Tutti gli abitanti della capitale si radunarono. Re e imperatori, venuti da lontano, erano in prima fila. Fu organizzata una grande celebrazione. L'uomo si era presentato con quella scatola, quindi non c'era motivo di dubitare.

Senza indugi, tolse il coperchio alla scatola, introdusse la mano, ritirò la mano vuota e disse al re: «Prendi questo turbante». Il re guardò e disse: «Non vedo alcun turbante, la tua mano è vuota».

L'uomo replicò immediatamente: «Lascia che ti rammenti una cosa: gli dei hanno detto che solo chi è stato generato dal proprio padre potrà vedere il turbante e gli abiti che essi hanno inviato. Ebbene, tu lo vedi?».

Subito il re esclamò: «Certo che lo vedo!».

Non c'era alcun turbante, la mano dell'uomo era vuota, ma tutti i cortigiani cominciarono ad applaudire. Anch'essi non riuscivano a vedere alcun turbante, ma cominciarono a dire: «Non avevamo mai visto un turbante tanto bello: è bellissimo, è unico, meraviglioso. Nessuno ha mai visto un turbante simile».

Quando tutti i cortigiani cominciarono a dire che il turbante era bellissimo, il re si trovò in una posizione difficile. A quel punto, l'uomo disse: «Togli dunque il tuo turbante e indossa questo».

Il re si tolse il proprio turbante e indossò quello inesistente. Se si fosse trattato solo di un turbante, sarebbe andato tutto benissimo, ma ben presto il re si trovò in guai seri. Prima gli fu tolto il mantello, poi la camicia e infine dovette togliersi anche l'ultimo indumento. A quel punto il re era nudo, ma tutti i cortigiani gridavano: «Che abiti stupendi! Meravigliosi! Non abbiamo mai visto abiti simili». Tutti i cortigiani dovevano gridare il proprio apprezzamento a voce altissima, per evitare che qualcuno dubitasse delle loro origini.

Mentre la folla gridava i propri apprezzamenti agli abiti, ciascuno pensava che i suoi occhi non vedevano più tanto bene oppure che fino a quel momento si era sbagliato sul conto del proprio vero padre. "Se tutti gli altri gridano apprezzamenti agli abiti, devono avere ragione. Così tanta gente non può sbagliarsi: è una maggioranza assoluta! Quando tutti dicono la stessa cosa, dev'essere giusta."

Questa è democrazia: tutti sono d'accordo. «Se tante persone si trovano d'accordo, non possono sbagliare.» Perciò ciascuno pensava che ci fosse qualcosa di sbagliato in lui e che, se fosse stato zitto, gli altri avrebbero pensato che non riusciva a vedere gli abiti.

Il re era spaventato: avrebbe dovuto togliersi anche l'ultimo indumento, oppure no? Da un lato aveva timore che tutta la sua corte lo vedesse nudo e, dall'altro aveva paura che il mondo intero venisse a sapere che il re non era stato generato dal proprio padre; in questo caso sarebbero sorte difficoltà anche maggiori. Era come passare dalla padella alla brace! Perciò, alla fine gli sembrò meglio accettare la propria nudità; almeno il nome di suo padre sarebbe stato salvo e la sua dinastia non sarebbe stata coperta dall'infamia. Pensò: "Al massimo, la gente mi vedrà nudo e con ciò? Inoltre, se tutti fanno apprezzamenti sugli abiti, forse hanno ragione. Forse gli abiti ci sono davvero e soltanto io non riesco a vederli". Perciò, per evitare complicazioni inutili, lasciò cadere anche l'ultimo indumento e rimase nudo.

Allora l'uomo esclamò: «Oh, mio re! Gli abiti degli dei sono discesi per la prima volta sulla Terra. Dovresti chiedere un corteo e fare il giro della città in carrozza». Il re era letteralmente terrorizzato, ma a quel punto non vedeva alcuna via d'uscita.

Quando un uomo commette un errore al primo stadio, per lui diventa davvero difficile fermarsi a uno qualsiasi degli stadi successivi e diventa impossibile fare dietro front. Se non sei onesto al primo stadio, continuerai ad accumulare ipocrisia negli stadi successivi e ti diventerà davvero difficile capire a che punto potrai fare dietro front, perché ogni stadio sarà una conseguenza inevitabile di tutti gli altri.

Il re era in gravi difficoltà. Non poteva rifiutarsi. Fu portato in corteo sulla carrozza... Forse c'eravate anche voi, perché in quella città c'era moltissima gente. Tutti videro il corteo, perciò forse c'eravate anche voi e forse avete apprezzato anche voi quegli abiti. Nessuno avrebbe voluto perdere quell'opportunità. Tutti esprimevano apprezzamenti ad alta voce sugli abiti, tutti dicevano che erano bellissimi, stupendi.

Solo un bambino, a cavalcioni sulle spalle del padre, esclamò: «Papà, mi sembra che il re sia nudo!».

Il padre gli rispose: «Sta' zitto! Tu sei piccolo e non hai esperienza. Quando avrai acquisito esperienza, anche tu comincerai a vedere quegli abiti. *Io* riesco a vederli!».

A volte i bambini vedono la verità, ma gli adulti non danno loro credito, perché hanno più esperienza. E l'esperienza è una cosa molto pericolosa. A causa della propria esperienza il padre disse: «Sta' zitto! Quando avrai esperienza, anche tu vedrai gli abiti. Noi li vediamo... pensi forse che siamo tutti impazziti?».

A volte un bambino dice: «Non riesco a vedere Dio in una statua». Gli adulti rispondono: «Sta' zitto! Noi riusciamo a vederlo. Rama è presente, di fronte a noi. Quando avrai acquisito esperienza, anche tu lo vedrai».

L'uomo è diventato preda di un'illusione collettiva. E quando tutti sono preda della stessa illusione, diventa difficile vedere.

Devi scoprire se gli abiti della conoscenza – quelli che tu hai ritenuto fossero tali – sono realmente abiti oppure sei nudo e quelli sono abiti invisibili?

Devi esaminare ciascuno dei tuoi pensieri applicando questo criterio: «Questa cosa io la conosco?». Se non la conosci, devi essere pronto ad andare all'inferno piuttosto che continuare a sostenere una pseudoconoscenza.

Questa è la prima condizione dell'autenticità: dovresti dichiarare di non conoscere qualsiasi cosa non sai, altrimenti comincerai a cadere nell'ipocrisia. Comunemente non riusciamo a vedere gli inganni macroscopici, possiamo vedere solo quelli piccoli. Se un uomo ti imbroglia per poche rupie, te ne accorgi; ma se un uomo, in piedi a mani giunte di fronte a una statua, esclama: «Oh Dio, oh Signore!»... sapendo benissimo che la statua è di pietra e che non c'è alcuna presenza di Dio, né di alcun Signore; anche se quest'uomo può sembrare autentico e religioso, difficilmente troveresti imbroglione e ipocrita maggiore di lui sulla Terra. Egli è l'inganno per eccellenza: proclama qualcosa del tutto falso e nel suo intimo non sente niente di niente; ma non trova il coraggio per comprendere ciò che dice e ciò che fa.

La persona religiosa è colui che riconosce sia ciò che sa sia ciò che non sa. Questo riconoscimento è il primo passo per diventare una persona religiosa. La persona religiosa non è colui che dichiara di conoscere Dio e l'anima, di aver visto il paradiso e l'inferno, bensì colui che dichiara di non sapere niente, di essere assolutamente ignorante: «Non ho alcuna conoscenza. Non conosco neppure me stesso, perciò come posso dichiarare di conoscere l'esistenza? Non conosco neppure la pietra che giace sulla soglia di casa mia. Come posso dichiarare di conoscere il divino. La vita è molto misteriosa, ignota. Non so nulla. Sono assolutamente ignorante».

Se hai il coraggio di essere ignorante e di accettare il fatto di esserlo, puoi cominciare a incamminarti sul sentiero che conduce dall'ossessione dei pensieri alla libertà. Altrimenti non puoi neppure iniziare. Perciò devi comprendere una cosa: tu sei estremamente ignorante, non sai niente e qualsiasi cosa ti sembra di conoscere è del tutto falsa, presa in prestito e stantia. Assomiglia a uno stagno, non a un pozzo. Se nella tua vita vuoi creare un pozzo, devi liberarti dall'illusione dello stagno; è fondamentale!

E ora una domanda: *Il tuo insegnamento è molto simile a quello di Krishnamurti. Qual è la tua opinione su di lui?*

Non ho opinioni. In primo luogo non conosco Krishnamurti. In secondo luogo, se quando io dico qualcosa tu mi paragoni a qualcun altro – a chi assomiglio o a chi non assomiglio – significa che non sei in grado di ascoltarmi. Sprechi il tuo tempo facendo paragoni.

È assolutamente impossibile che ci sia qualche somiglianza tra le parole di due persone, perché due persone non sono mai uguali. Due foglie o due pietre non sono mai uguali. Può esserci una somiglianza in qualche parola, può esserci una somiglianza superficiale in qualcosa; ma ogni singola persona al mondo è diversa e unica, al punto che nessun'altra può essere esattamente uguale a lei.

Se cominci a paragonare ciò che dico con la *Gita*, con Krishnamurti, con Ramakrishna o con Mahavira, non riuscirai ad ascoltarmi, perché Krishnamurti, Ramakrishna o Mahavira creerà un forte disturbo che si interporrà tra noi, e le mie parole non riusciranno più a raggiungerti. Non ci sarà alcun contatto diretto tra me e te.

Dunque, non lo so, ma a mio avviso non occorre fare paragoni o trovare somiglianze. È irrilevante, futile e non ha mai aiutato nessuno.

Ma nella vita voi avete contratto delle abitudini, una di queste è fare paragoni: non riuscite a valutare qualcosa, senza fare paragoni. Se volete valutare qualcosa, il solo modo che conoscete è fare paragoni e, ogni qual volta fate paragoni, cadete in errore.

Se paragoni un giglio a una rosa, sbagli. Un giglio è un giglio, una rosa è una rosa, e un fiorellino di campo è un fiorellino di campo. La rosa non è superiore al fiorellino, né inferiore. Il fiorellino vive la propria unicità e la rosa vive la propria. Nessuno dei due è più in alto o più in basso dell'altro, nessuno dei due è uguale o diverso dall'altro; ciascuno è simile a se stesso e a nessun altro. Solo se comincerai a vedere questa individualità delle cose, la loro personalità e la loro unicità, smetterai di fare paragoni.

Ma voi avete l'abitudine di fare paragoni. Paragonate tra di loro anche i bambini. Dite: «Guarda quel bambino, è arrivato più lontano e tu sei rimasto indietro». Siete ingiusti, perché l'altro bambino è se stesso, così come lo è questo bambino. Non è possibile paragonarli tra loro. I loro esseri sono totalmente differenti, sono totalmente diversi. Nella loro unicità, nella loro autenticità, non esistono metri di paragone.

Ma voi avete l'abitudine di fare paragoni. Il vostro sistema educativo insegna a fare paragoni; senza, non riuscite a valutare. Il risultato è che non comprendete mai direttamente alcuna persona e alcun pensiero: molte cose si interpongono tra voi e loro.

Dunque, voglio dirti solo questo: non so quanta somiglianza o quanta diversità ci sia tra Krishnamurti e me. Non ho mai fatto paragoni e ti chiedo di non farli; né tra me e qualcun altro, né tra chiunque altro.

Questi paragoni si trovano ovunque: che somiglianze esistono tra Mahavira e il Buddha, che somiglianze esistono tra Gesù e Maometto, che somiglianze esistono tra Krishna e Rama? Tutto ciò è insensato! Non è un problema di somiglianza o di diversità: ciascuno è semplicemente se stesso. Uno non ha niente a che fare con l'altro, nessuno ha alcun riferimento con l'altro. È assurdo anche parlare di "diversità": non essendoci somiglianza, non può esserci alcun problema di diversità.

Ciascun uomo è unico, è se stesso. In questo mondo non ci sono due persone simili, non c'è un evento che ne ripeta un altro, non c'è una esperienza che ne ripeta un'altra. Nella vita non esiste la ripetizione; la vita continua a creare cose e persone uniche, quindi non hai bisogno di paragonare o di valutare.

Se ascolti Krishnamurti, devi comprenderlo direttamente. Se ascolti me, devi comprendermi direttamente. Se ascolti il tuo vicino, devi comprenderlo direttamente. Se ascolti tua moglie, devi comprenderla direttamente. Se una terza persona si interpone, cominciano i problemi e le discussioni. Non occorre che una terza persona si interponga, i nostri contatti e la nostra comunicazione devono essere diretti e immediati.

Se mi pongo di fronte a una rosa e comincio a ricordare i fiori che ho visto ieri, e a pensare alle somiglianze che ci sono tra questo e quelli, smetto di vedere la rosa che ho di fronte. Una cosa è certa: l'ombra di quei fiori che si interpone tra me e la rosa mi impedisce di vedere *questo* fiore. E se voglio vedere il fiore che ho di fronte, devo dimenticare tutti i fiori che ho visto finora; lasciare che si interpongano è ingiusto verso questo fiore. E non devo neppure portare in me il ricordo di questo fiore, altrimenti domani, guardandone un altro, potrebbe interferire con la sua ombra.

Perciò, non portare qui Krishnamurti. E, poiché mi stai ascoltando, non pensare di poter interporre le mie parole nel tuo ascolto di qualcun altro: sarebbe ingiusto verso quella persona.

Guarda la vita in modo diretto. Non devi lasciare che qualcuno interferisca nella tua visione. Nessuno è uguale o diverso da qualcun altro: ciascuno è semplicemente se stesso.

Tutti devono essere se stessi: nella mia visione questa è la regola fondamentale della vita. Ma, finora, non siete riusciti ad accettarla. Finora il genere umano non è mai stato pronto ad accettare ciascun individuo così com'è, tentate sempre di farlo assomigliare a qualcun altro: dovrebbe assomigliare a Mahavira, al Buddha o a Gandhi. Questo è un insulto per l'individualità di ciascuna persona.

Quando dici a qualcuno: «Diventa simile a Gandhi», lo insulti gravemente, perché non è nato per diventare un Gandhi. È già esistito un Gandhi, a che cosa potrebbe servire un altro? Dire a un uomo di diventare simile a Gandhi è come dirgli che non ha il diritto di essere se stesso, che ha solo il diritto di diventare la copia di qualcun altro, di imitare qualcun altro. Può solo essere una fotocopia e mai un originale. Questo è un insulto per quell'uomo.

Quindi, io non dico che ciascuno deve diventare simile a qualcun altro, dico solo che tutti devono essere se stessi. Allora questo mondo potrebbe diventare un mondo splendido, meraviglioso. Finora abbiamo solo cercato di organizzare le cose in modo che ciascuno diventi simile a tutti gli altri. Questo è il motivo che ti spinge a fare paragoni, a pensare, a ricercare. Non devi farlo; pensare in questo modo è del tutto inutile.

Se ci sono altre domande inerenti a quanto ho detto, ne parleremo questa sera. Lasciate che mi ripeta di nuovo – vi ho parlato di un'unica cosa, una cosa fondamentale: osservate la vostra conoscenza e decidete se è scaturita da voi oppure se l'avete appresa da qualcun altro. Se vedete che proviene da qualcun altro, allora è inutile. Ma il giorno in cui comprenderete di non avere alcuna conoscenza solo vostra, in quello stesso istante comincerà ad affiorare dalla vostra interiorità la luce della vera conoscenza. E in quello stesso istante, in voi inizierà la rivoluzione.

Se ci sono altre domande, ne parleremo questa sera. Il nostro incontro pomeridiano finisce qui.

*Sesto discorso*

# Né credenti, né miscredenti

Amici carissimi,

l'uomo è legato dalla catena dei suoi pensieri, come un prigioniero. Che tipo di pietre sono state usate per le fondamenta di questa prigione di pensieri? Nel pomeriggio abbiamo parlato di una di esse, questa sera parleremo della seconda, ugualmente importante. Se togliessimo queste due pietre fondamentali, potreste vedere che scambiare il sapere preso in prestito per vera conoscenza è un errore e riuscireste a elevarvi con facilità al di sopra della vostra prigione di pensieri.

Qual è questa seconda pietra? Qual è l'altra pietra fondamentale usata per costruire la prigione di pensieri nella mente dell'uomo e sulla quale è stata intessuta la ragnatela dei pensieri? Forse non lo sapete. Forse non avete idea di come abbiate fatto a colmarvi di una tale moltitudine di pensieri contraddittori.

La vostra situazione è simile a quella di un carro tirato da buoi, aggiogati a ciascuno dei suoi quattro lati: i buoi sono spronati a muoversi per raggiungere destinazioni diverse, perciò il carro è in pericolo e la sua struttura comincia a cedere; i buoi tirano da ciascuno dei quattro lati per andare verso quattro direzioni diverse: riuscirà quel carro ad andare da qualche parte? Riuscirà a raggiungere una destinazione qualsiasi? Il carro può avere una sola destinazione e un solo destino: andrà in pezzi, verrà annientato. Con i buoi che lo tirano in quattro direzioni, che poi andranno verso direzioni opposte trascinandosi dietro i suoi pezzi, il carro non potrà che finire distrutto. Quel carro non raggiungerà mai una destinazione.

Nella vostra mente il conflitto interiore fra pensieri diversi vi sta uccidendo. Tutti i vostri pensieri sono irrilevanti e contraddittori: gli uni sono in opposizione agli altri. I buoi dei vostri pensieri tirano la mente in direzioni diverse e voi, in mezzo a tutto ciò, siete infelici e soffrite, e non avete idea di come questa sofferenza e questo conflitto siano potuti accadere.

Ero ospite nella casa di un medico famoso. Un mattino, stavamo per uscire di casa, quando improvvisamente suo figlio starnutì. Il medico borbottò: «Questo significa cattiva sorte! Aspettiamo un momento, solo qualche minuto e poi usciremo».

Commentai: «Mi sembri uno strano medico. Come minimo, un medico dovrebbe conoscere la causa di uno starnuto, dovrebbe sapere che non c'è alcun rapporto tra uno starnuto e la sorte. Questa è solo superstizione. Mi sorprende che neppure un medico abbia le idee chiare in merito».

E gli dissi che, anche se mi fossi ammalato, anche se fossi stato in punto di morte, non avrei mai voluto essere curato da lui. Secondo me, avrebbero dovuto radiarlo dall'albo: non meritava quella laurea. Mi sorprese molto che, a causa di una superstizione infantile, non volesse uscire, solo perché qualcuno aveva starnutito. L'idea acquisita nell'infanzia persisteva in lui, sebbene fosse diventato un medico e si fosse specializzato a Londra. In lui erano presenti due pensieri contemporaneamente: quando qualcuno starnutiva i suoi piedi si fermavano, tuttavia si rendeva subito perfettamente conto di comportarsi in modo stupido, perché non c'era alcun rapporto tra i due eventi. Entrambi i pensieri accadevano nella sua mente contemporaneamente.

Migliaia di pensieri di questo tipo esistono in voi e vi tirano in direzioni diverse nello stesso momento. Ne siete fortemente disturbati, almeno questo è ovvio. Ecco perché l'uomo sembra essere del tutto impazzito. Come potrebbe essere diversamente? La pazzia è una conseguenza ovvia. Per migliaia di anni un numero infinito di pensieri contraddittori si è accumulato nella sua mente. Migliaia di generazioni, migliaia di secoli vivono nella stessa persona contemporaneamente. Un pensiero che risale a cinquemila anni fa, e un pensiero ultramoderno, frutto della nostra epoca, sono presenti simultaneamente in una persona; e tra questi due pensieri non ci può essere alcun paragone e alcuna armonia.

Nell'uomo si sono raccolti pensieri provenienti da migliaia di direzioni diverse. In lui dimorano le idee di migliaia di *tirthankara* e di *digambara,* di *avatara* e di guru. Costoro hanno fatto tutti una sola cosa, sebbene non fossero d'accordo su nient'altro; tutte le religioni, tutti gli insegnanti e tutti i predicatori del mondo sono sempre stati d'accordo su una sola strategia: insegnare alla gente a credere in tutto ciò che predicano. Ciascuno di loro insegna: «Credi in ciò che predico!» e poi sono in disaccordo tra loro su tutto il resto. Un hindu dice una cosa, un musulmano dice un'altra cosa, un jaina dice una cosa diversa e un cristiano dice un'altra cosa ancora; però sono tutti d'accordo su un unico punto: «Credi in ciò che predico!». Tutti predicano cose contraddittorie tra loro e tutte queste cose contraddittorie si sedimentano nell'essere umano, e ciascun predicatore chiede a gran voce all'essere umano di credere nella sua verità. L'uomo è debole: crede a tutto ciò che dicono tutte quelle persone. Ciascuno di loro deride le parole degli altri, ma nessuno deride le proprie idiozie.

I cristiani affermano che Gesù è nato da una fanciulla vergine e che chiunque non accetta questo credo andrà all'inferno. Il povero ascoltatore si spaventa: se non accetta questo credo andrà all'inferno, quindi accetta come vero ciò che costoro dicono. Che importanza può avere se una vergine ha dato alla luce Gesù, oppure no? Non è il caso di finire all'inferno per un simile motivo!

Il resto della popolazione del mondo deride questa idea cristiana. I musulmani, i jaina, gli hindu ridono di questa stupidaggine. Come può un bambino nascere da una fanciulla vergine? È una vera assurdità.

Ma i musulmani affermano che Maometto cavalcando la sua cavalla arrivò in paradiso, mentre era ancora in vita. I cristiani, gli hindu e i jaina deridono questa idea: che stupidaggine! In primo luogo, una cavalla non può entrare in paradiso. Se fosse stato quanto meno un cavallo ci sarebbe potuto entrare: un uomo può andare in paradiso, ma non c'è alcun provvedimento che possa far entrare le donne, quindi una cavalla non può entrare in paradiso. Se fosse stato un cavallo... l'idea potrebbe essere tollerabile, potrebbe anche essere accettata.

In secondo luogo, come può qualcuno andare in paradiso mentre vive ancora nel proprio corpo? Il corpo dev'essere lasciato qui, il corpo appartiene alla Terra. Maometto non poteva andare in paradiso mentre era ancora vivo. Tutti deridono questa idea: cristiani, jaina e hindu, ma i musulmani dicono: «Credi! Se non ci credi, andrai all'inferno. Sarai costretto a marcire all'inferno, a soffrire all'inferno. Devi accettare questo credo. Se non l'accetti, se non sei d'accordo con le parole di Maometto, sai benissimo che ti troverai in guai seri, perché esiste un solo Dio al mondo e Maometto è il suo profeta».

L'uomo, di fronte alle minacce, accetta che ciò che gli dicono sia vero. I jaina deridono i cristiani e i musulmani, eppure a loro volta affermano che Mahavira fu concepito nel ventre di una donna *brahmana*; ma come può un *tirthankara* jaina nascere in una famiglia *brahmana*? La casta vera e la più alta è la casta *kshatriya* – la casta dei guerrieri – perciò i *tirthankara* sono sempre nati da famiglie *kshatriya*: non possono nascere in famiglie *brahmane*. I *brahmani* sono mendicanti: come può un *tirthankara* nascere in una famiglia simile? Perciò essi sostengono che Mahavira fu concepito nel ventre di una donna *brahmana*, ma quando gli dei si accorsero che sarebbe stato un grave errore, tolsero il feto dal ventre della donna *brahmana* e lo sistemarono nel ventre di una donna *kshatriya* e, nel contempo, tolsero il feto femminile, che si trovava nel ventre della donna *kshatriya* e lo sistemarono nel ventre della donna *brahmana*.

In tutto il mondo la gente ride di fronte a queste cose: sono veramente ridicole! Innanzitutto, che cos'hanno a che fare gli dei con lo scambio di feti tra due donne? Com'è possibile? Tutto il mondo ride, ma i jaina vanno in collera. Dicono: «Potete anche ridere, ma non sapete che cos'hanno detto i nostri *tirthankara* e tutto ciò che hanno detto i nostri *tirthankara* è assolutamente vero. Tutti coloro che non credono, soffriranno all'inferno. Se non ci credete, a noi non importa: potete scegliere di soffrire!».

L'uomo è sollecitato da molte persone a credere in molte cose. In passato, non eravamo a conoscenza di tutte le varie credenze; l'umanità viveva in gruppi chiusi, quindi non c'era tanta confusione. Ora il mondo è diventato piccolo e tutti conoscono le credenze di tutti, perciò nell'uomo la confusione ha raggiunto un punto di assoluta follia! Ora tutto questo caos supera la sua capacità di comprendere, e l'uomo si chiede che cosa sia in realtà ciò che i predicatori cercano di fargli credere.

Ma anche in passato la situazione non era migliore. Il fatto che un hindu non conoscesse le credenze dei musulmani o che un jaina non conoscesse le credenze dei cristiani non rendeva più chiara la situazione. Gli stessi jaina non credono tutti nelle stesse cose: i *digambara* affermano una cosa e gli *svetambara* qualcos'altro. Vi sorprenderà conoscere i motivi del loro disaccordo. È stupefacente che la gente possa avere opinioni tanto diverse su cose simili. Mallinath era uno dei trentaquattro *tirthankara*: i *digambara* affermano che era un uomo e gli *svetambara* che era una donna. I *digambara* affermano che si chiamava Mallinath e gli *svetambara* che si chiamava Mallibai, ed entrambe le fazioni dicono: «Se non ci credi, andrai all'inferno!». I *digambara* affermano che una donna non avrebbe mai potuto essere un *tirthankara* – il fatto in sé è falso – perciò doveva essere un uomo. Era Mallinath e non Mallibai. Essere in conflitto sul fatto che una persona fosse un uomo oppure una donna è davvero troppo! Ma l'uomo, di fronte alla minaccia che se non crede andrà all'inferno e soffrirà, pensa sia meglio credere.

In tutto il mondo, gli insegnamenti di coloro che vi sollecitano a credere in ciò che affermano hanno generato solo confusione e caos nella vostra mente: ascoltate chiunque e in voi rimane il ricordo dei loro insegnamenti e il vostro essere è tirato in mille direzioni diverse.

Poi, dopo tutte queste religioni, è arrivato anche il comunismo. Il comunismo afferma che la religione è come l'oppio: non contiene alcun significato, l'idea di Dio è assolutamente falsa, sono tutte cose insignificanti. Marx afferma che il comunismo è la vera religione: devi credere solo a questo. La Bibbia, la *Gita* e il Corano sono tutti falsi, *Il capitale* è l'unica sacra scrittura e tu dovresti credere solo in questa. Così ha avuto inizio un nuovo credo...

Poi, dopo il comunismo, è arrivata la scienza. Anche la scienza sostiene che tutte queste cose sono prive di valore. Tutto ciò che le sacre scritture dicono è falso, solo ciò che dice la scienza è vero. Ma perfino mentre uno scienziato è in vita, un altro ha un'idea diversa e proclama che la propria idea è giusta e l'altra è sbagliata. E subito arriva un terzo scienziato che afferma che la propria idea è giusta e le altre due sono sbagliate. Ed è possibile che un quarto scienziato...

Questi assertori della verità hanno creato un groviglio nei pensieri e nella psiche dell'uomo; pensieri tanto diversi tra loro che tirano l'uomo in tutte le direzioni. Per creare questo groviglio sono state utilizzate la paura e la manipolazione; sono stati usati questi metodi astuti e sottili per imporre all'uomo un pacchetto di credenze: se credi andrai in paradiso, se non credi finirai all'inferno.

Quei capi religiosi hanno usato gli stessi metodi utilizzati oggi dalla pubblicità, ma la pubblicità non è altrettanto impudente o coraggiosa. I pubblicitari della saponetta Lux comunicano che una certa reginetta di bellezza ha dichiarato: «Sono diventata bella perché ho usato la saponetta Lux», quindi colei che la usa diventerà bella e chi non la usa no. Ovviamente, se hai paura di diventare brutta, vai subito a comperare la saponetta Lux. Come se non ci fossero state donne belle; come se Cleopatra, Mumtaj e Noorjehan non fossero belle, perché non c'era ancora la saponetta Lux! Ma i pubblicitari non sono poi molto coraggiosi... forse in futuro oseranno dire: «Un certo *tirthankara*, un certo profeta, un certo maestro afferma che chi non usa la saponetta Lux andrà all'inferno, non potrà andare in paradiso. Solo coloro che usano la saponetta Lux andranno in paradiso».

La gente potrebbe essere minacciata in questo modo: «Solo fumando i sigari Avana andrai in paradiso, perciò se li fumi – e se convinci gli altri a fumarli – fai una buona azione. E chiunque non fumi sigari Avana andrà all'inferno. E chi fuma i *bidi* indiani soffrirà per l'eternità all'inferno. Chi non crede a tutto ciò, dovrà affrontarne le conseguenze: chi ci crede ne godrà i benefici, chi non ci crede verrà punito!».

I moderni pubblicitari non sono ancora diventati impudenti come i vecchi. I vecchi pubblicitari minacciavano l'uomo dicendogli cose assolutamente false, e l'uomo ha continuato ad ascoltarle e ad accettarle senza porre domande. Di fatto, ogni falsa verità, se ripetuta un'infinità di volte per migliaia di anni, comincia a sembrare vera. Se qualcuno continua a ripetere la cosa più falsa – continua a ripeterla con insistenza – piano piano, cominci a pensare che forse potrebbe anche essere vera: in caso contrario, come potrebbe essere stata ripetuta continuamente e per tanto tempo?

Un povero contadino dal suo paesello andò in città e acquistò una capretta. Quando prese la via del ritorno, alcuni furfanti pensarono che, se fossero riusciti a impossessarsi della capretta, avrebbero potuto regalarsi un pranzo succulento per sé e per i propri amici. Ma come riuscirci?

Il contadino ignorante sembrava un uomo molto forte

e in piena salute e quei furfanti erano deboli e malaticci. Portare via la capretta al contadino con la forza avrebbe richiesto una lotta in cui potevano avere la peggio, perciò dovevano usare ogni cautela e provare a ingannarlo.

Quando il contadino stava per lasciare la città, uno di quei furfanti lo avvicinò, dicendogli: «Salve! Buongiorno!».

Egli rispose: «Salve! Buongiorno».

Poi quel malfattore lo guardò e chiese: «Come mai ti porti sulle spalle questo cane?» – in realtà il contadino portava sulle spalle la capretta – «Dove l'hai comprato? È proprio un buon cane».

Il contadino scoppiò in una risata. Rispose: «Sei diventato matto? Non è un cane! Ho comprato una capra: è una capretta!».

Il furfante proseguì: «Non vorrai tornare al tuo villaggio portando sulle spalle un cane: la gente penserà che sei impazzito! Pensi davvero che sia una capra?». Detto questo, continuò per la sua strada.

Il contadino sorrise e pensò che quel tipo era veramente strano, tuttavia tastò le gambe della capretta per constatare se era una capra oppure un cane... proprio questo era lo scopo di quei furfanti. Il contadino constatò che era una capra e, rassicurato, continuò il cammino.

Poco più in là, il secondo malfattore gli andò incontro e gli disse: «Salve, hai comprato proprio un bel cane. Anch'io voglio comprarne uno. Dove l'hai preso?». Questa volta il contadino non riuscì ad affermare con la stessa sicurezza che quello non era un cane: era il secondo uomo che gli diceva la stessa cosa e non è possibile che due persone si sbaglino contemporaneamente.

Tuttavia scoppiò in una risata e disse: «Questo non è un cane, signore, è una capra».

E il furfante di rimando: «Chi ti ha detto che è una capra? Mi sembra che ti abbiano imbrogliato. Che capra è mai questa?». E se ne andò.

Il contadino si tolse la capretta dalle spalle per capire meglio, ma vide che era proprio una capra... quei due uomini si erano sbagliati. Tuttavia, iniziò a temere di avere le traveggole.

E si spaventò ancor di più quando, proseguendo il suo cammino, incontrò un terzo uomo che gli chiese: «Salve! Dove hai comprato questo cane?». Questa volta il contadino non trovò il coraggio per affermare che quella era una capra. Rispose: «L'ho comprato in città». Gli riusciva proprio difficile affermare che quella era una capra e cominciò a pensare che forse non avrebbe dovuto portarla al suo villaggio: aveva sprecato il suo denaro e tutti l'avrebbero preso in giro, la gente avrebbe pensato che fosse impazzito.

Mentre era immerso in questi pensieri, il quarto uomo gli andò incontro e gli disse: «Che strano, non ho mai visto nessuno portare sulle spalle un cane. Immagini forse che sia una capra?».

Subito dopo, il contadino si guardò intorno, vide che era solo, nessuno era in vista, per cui abbandonò la capretta e fuggì verso il suo paesello. Aveva sprecato i suoi soldi, ma almeno i suoi compaesani non avrebbero pensato che fosse impazzito.

E fu così che i quattro malfattori si impossessarono della capretta.

Poiché quattro persone avevano ripetuto la stessa cosa, per il contadino diventò difficile credere che ciò che dicevano potesse essere sbagliato. E se coloro che predicano indossano anche abiti religiosi, non credere diventa ancora più difficile. E se quelle persone sono i cosiddetti modelli di verità e di sincerità, non credere diventa ancora più difficile. E se quelle persone hanno rinunciato sinceramente al mondo, non credere diventa sempre più difficile, perché non esiste motivo per dubitare di ciò che affermano.

Coloro che predicano non vi stanno ingannando di proposito: nel novantanove per cento dei casi sono persone che hanno fatto propri concetti errati e che sono state ingannate a loro volta. Non sono necessariamente degli imbroglioni: si trovano nelle vostre stesse condizioni.

Una cosa è certa: fino a quando continuerà a coltivare dei credo, l'uomo sarà sempre sfruttato. Fino a quando verrà sollecitato a credere, l'uomo non si libererà dall'oppressione. Il suo credo può essere hindu, jaina, musulmano o qualsiasi altro; può essere il comunismo, l'anticomunismo o qualcos'altro. Fino a quando l'uomo verrà sollecitato a credere nelle verità affermate da altri, con la minaccia: «Se non ci credi soffrirai e se ci credi sarai felice», fino a quando i predicatori useranno questo trucco, difficilmente l'uomo riuscirà a trovare il coraggio necessario per liberarsi dal groviglio dei suoi pensieri.

Che cosa voglio dirvi? Voglio dirvi che, se volete liberarvi dal groviglio dei vostri pensieri, formatosi in migliaia di secoli e frutto delle impressioni di centinaia di anni, dovete comprendere a fondo una cosa: una credenza è la maggior spinta al suicidio. Dovete comprendere definitivamente una cosa: credere, credere ciecamente, accettare in silenzio e a occhi chiusi sono i fattori fondamentali che finora hanno mutilato e storpiato la vostra vita.

Ma tutti vi sollecitano a credere in loro; vi chiedono di credere in loro e non negli altri. Dicono: «Non credete nell'altra gente perché hanno tutti torto. Noi siamo nel giusto, credete in noi».

Voglio dirvi che credere in qualcuno, chiunque sia, è distruttivo e danneggerà la vostra vita. Nessun credo, letteralmente nessuno! Chiunque costruisca la propria vita sulla base di un credo entra in un mondo di ciechi, nessuna luce potrà mai illuminare la sua vita. Nella sua vita non riuscirà mai a raggiungere la luce. Colui che crede negli altri non sarà mai in grado di conoscere se stesso.

Vi chiedo dunque di non credere? No, non dovete neppure essere miscredenti. Ma voi pensate che, se non siete credenti in qualcosa, inevitabilmente siete miscredenti. Questa è un'idea assolutamente sbagliata. Esiste uno stato della mente in cui non sei né credente né miscredente... Anche la miscredenza è una forma di credenza. Quando affermi di non credere in Dio, che cosa dici? Dici che credi nella non-esistenza di Dio. Quando dici: «Io non credo nell'anima» dichiari di credere nella non-esistenza dell'anima. La credenza e la miscredenza sono simili, non c'è alcuna differenza tra loro. La credenza è positiva, la miscredenza è negativa. La credenza è una fede positiva, la miscredenza è una fede negativa; ma entrambe sono fedi.

Solo se riuscirai a liberarti dalle credenze e dalle miscredenze, solo se riuscirai a liberarti dall'influenza del punto di vista altrui, solo se riuscirai a liberarti dall'idea stessa che qualcun altro possa fornirti la verità, solo allora potrai liberarti dal groviglio dei tuoi pensieri. Fino a quando nutrirai l'idea che qualcun altro possa fornirti la verità, in un modo o nell'altro rimarrai in schiavitù. Se ti liberi da qualcuno, ti legherai a qualcun altro e se ti liberi da lui, ti legherai a un terzo: non riuscirai mai a liberarti dalla schiavitù. Ma liberandoti da uno e legandoti a qualcun altro, per un po' proverai sempre un senso di consolazione.

Quando un uomo muore, quattro persone trasportano sulle spalle il suo cadavere adagiato su un cataletto, fino al luogo della cremazione; quando una spalla comincia a dolere, spostano il peso sull'altra. Per un po' sentono sollievo alla spalla dolente, poi è la seconda spalla che comincia a dolere e allora spostano il peso di nuovo sulla prima. Colui che cambia i suoi credo si limita soltanto a spostare il peso da una spalla all'altra, ma quel peso è comunque presente: le cose non cambiano molto, si prova soltanto un sollievo momentaneo.

Se un hindu diventa musulmano, o se un musulmano diventa jaina, o se un jaina diventa cristiano, o se qualcuno abbandona ogni religione e diventa comunista o qualcos'altro, questa persona abbandona solo un sistema di credenze per aggrapparsi a un altro: non vi sarà alcun cambiamento nel peso che opprime la sua mente. Costui avverte solo un sollievo momentaneo, ma è solo uno spostamento di peso da una spalla all'altra. È un sollievo del tutto insignificante.

Ho sentito raccontare che in un villaggio vivevano due uomini: uno era un fermo teista e l'altro era un ateo inflessibile. L'intero villaggio era molto disturbato dalla presenza dei due uomini. I villaggi sono sempre in difficoltà per la presenza di simili persone. Il teista spiegava l'esistenza di Dio giorno e notte, e l'ateo la confutava giorno e notte. Gli abitanti del villaggio erano in grandi difficoltà: non sapevano scegliere chi seguire. Alla fine decisero che, vista l'enorme confusione, quei due dovevano tenere un dibattito di fronte all'intero villaggio. La gente del villaggio disse: «Noi seguiremo il vincitore del dibattito, smettetela di crearci complicazioni! Discutete, e noi diventeremo seguaci del vincitore».

Fu fissato il giorno: una notte di plenilunio. Intorno ai due si radunò l'intero villaggio. Colui che credeva in Dio spiegò le teorie del teismo, presentò tutti i suoi argomenti a favore e confutò l'ateismo. Poi l'ateo confutò il teismo e presentò tutti i suoi argomenti a favore dell'ateismo. Il dibattito si protrasse per tutta la notte e il mattino seguente il risultato fu che il teista era diventato ateo e l'ateo era diventato teista. Ciascuno dei due aveva preferito gli argomenti dell'altro.

Ma il problema degli abitanti del villaggio era rimasto inalterato. I due uomini erano stati molto convincenti, al punto che ciascuno dei due aveva convertito l'altro. Quindi nel villaggio c'erano ancora un teista e un ateo, e il problema degli abitanti era rimasto inalterato.

Se cambi un credo per un altro, nella tua vita non ci sarà alcuna differenza. Per il tuo essere il problema rimarrà inalterato, non ci sarà alcuna differenza. Per il tuo essere il problema non ha niente a che fare con il fatto che tu sia un hindu, un maomettano, un jaina o un cristiano, un comunista o un fascista: il problema è che sei un credente e finché lo sarai, rimarrai in schiavitù, ti metti in una prigione con le tue mani, e ti leghi in un modo o nell'altro, in un luogo o in un altro.

Una persona imprigionata, una mente imprigionata, come può liberarsi dai suoi pensieri? Come puoi liberarti dai pensieri che stai sostenendo con tutto il tuo essere e nei quali credi? Come puoi esserne libero? È molto difficile. Potrai liberartene solo dopo averli privati delle fondamenta.

Una credenza è la prima pietra che regge tutto il cumulo dei pensieri. L'uomo ha imparato a pensare basandosi su una credenza; inoltre, quando i pensieri avvincono strettamente la sua mente, diventa preda di questa paura: «Se li abbandonassi, che cosa mi accadrebbe?». Perciò dichiara che potrà abbandonare i suoi pensieri attuali solo se gliene verranno dati altri migliori cui aggrapparsi, ma l'idea di abbandonare il concetto stesso di aggrapparsi a qualcosa non sfiora neppure la sua mente.

La libertà, la libertà dalla tua mente, non potrà accadere attraverso il cambiamento delle tue credenze, ma solo tramite la liberazione dalle credenze stesse.

Il Buddha stava visitando un piccolo villaggio. Alcune persone gli portarono un cieco dicendogli: «Quest'uomo è cieco e noi siamo i suoi amici più intimi. Sebbene abbiamo tentato in ogni modo di convincerlo che la luce esiste, egli non riesce ad accettarlo. Ribatte in modo da renderci impotenti: dice che vuole toccare la luce; come possiamo fargliela toccare? Malgrado la nostra certezza dell'esistenza della luce, dobbiamo ammettere la nostra sconfitta».

Il cieco intervenne: «Ma se non è possibile toccare la luce, allora voglio udirla. Possiedo l'udito: emettete il suono della luce affinché io possa udirlo. E se anche questo non è possibile, allora fatemi assaggiare la luce; oppure, se la luce ha una fragranza, fatemela annusare».

Non c'era modo di convincere il cieco. Si può vedere la luce solo con gli occhi, e i suoi occhi erano ciechi. Si lamentò con gli abitanti del villaggio per il fatto che tutti parlavano inutilmente della luce solo per dimostrare che egli era cieco. Sentiva che avevano inventato la storia della luce solo per dimostrare la sua cecità.

Pertanto, quella gente chiese al Buddha, che si sarebbe fermato nel villaggio per qualche tempo, di far comprendere al cieco che la luce esiste.

Il Buddha rispose: «Non sono tanto folle da pretendere di convincerlo. I problemi del genere umano sono stati creati da coloro che hanno tentato di spiegare le cose a chi non poteva vederle. I predicatori sono una piaga per l'umanità: dicono alla gente cose che non può capire».

E proseguì: «Non voglio fare questo errore. Non spiegherò a questo cieco che la luce esiste. Voi l'avete condotto dalla persona sbagliata. Non dovevate portarlo da me, portatelo piuttosto da un medico che possa curare i suoi occhi. Non ha bisogno di prediche, ha bisogno di cure! Il suo problema non consiste nell'accettare delle spiegazioni oppure nel credere in ciò che gli dite, il suo problema è farsi curare gli occhi. Se i suoi occhi guariranno, non dovrete spiegargli nulla: egli stesso sarà in grado di vedere la luce e di conoscerla».

Il Buddha intendeva dire che non considerava la religione solo un insegnamento filosofico, dovrebbe comprendere anche cure pratiche. Perciò raccomandò di portare il cieco da un medico.

Gli abitanti del villaggio accettarono ciò che il Buddha aveva detto e portarono il cieco da un medico affinché gli curasse gli occhi. Fortunatamente, dopo qualche mese, l'uomo guarì dalla sua cecità. A quel tempo il Buddha sostava in un altro villaggio, perciò il cieco andò da lui. Si prostrò davanti al Buddha e toccò i suoi piedi, esclamando: «Avevo torto. Esiste davvero una cosa chiamata luce, ma io non potevo vederla».

Il Buddha gli rispose: «Avevi certamente torto. Ma i tuoi occhi sono guariti proprio perché ti rifiutavi di credere ciò che gli altri ti dicevano, senza poter sperimentare tu stesso la veridicità di ciò che dicevano. Se avessi creduto in ciò che gli amici ti dicevano, la cosa sarebbe finita lì e nessuno avrebbe mai pensato di farti curare gli occhi».

Il credente è incapace di raggiungere una qualsiasi comprensione. Chi accetta in silenzio un credo è incapace di avere una qualsiasi esperienza individuale e diretta. Il viaggio di coloro che sono ciechi – e che si aggrappano al fatto che, se gli altri dichiarano che la luce esiste, sicuramente esiste – finisce lì. Il viaggio continua solo se in te è sempre presente una perenne irrequietezza. Quell'inquietudine sorge solo quando tu non accetti qualcosa che non vedi in prima persona, malgrado la gente ti dica che esiste; potrai accettarla solo quando la vedrai. Devi conservare l'irrequietezza che dichiara: «Accetterò qualcosa, solo se la vedrò con i miei occhi».

Coloro che ti sollecitano ad avere un credo, sono gli stessi che ti dicono che non hai bisogno di vedere con i tuoi occhi: «Mahavira aveva occhi che vedevano, bastano i suoi; il Buddha aveva occhi che vedevano, bastano i suoi. Perché tutti dovrebbero avere occhi che vedono? Krishna aveva occhi che vedevano e scrisse la *Gita*, perché hai bisogno di vedere con i tuoi occhi? Leggi la *Gita* e sii felice. Krishna riusciva a vedere e ha descritto ciò che vedeva, che bisogno c'è che tutti abbiano occhi che vedono? Devi semplicemente credere. Coloro che potevano vedere hanno già parlato, tu devi semplicemente credere. Essi hanno raggiunto la conoscenza, che bisogno hai di raggiungerla in prima persona?».

Questo insegnamento ha mantenuto l'uomo nella cecità. La maggior parte degli uomini sulla Terra è rimasta cieca, e lo è tuttora. Non solo, guardando lo stato del mondo, probabilmente la maggioranza degli uomini sulla Terra rimarrà cieca perché ha ucciso l'alchimia di base che corregge la cecità, cioè la sete di uscirne. È stata distrutta dando agli uomini forti sistemi di credenze.

Di fatto, si dovrebbe controbattere che gli occhi di Krishna, per quanto fossero acuti e riuscissero a vedere in lontananza, non sono i tuoi occhi. Gli occhi di Mahavira, per quanto fossero belli, veri fiori di loto, non sono i tuoi occhi. I tuoi occhi possono anche essere insignificanti e sembrare fiori di campo e non fiori di loto, però sono i tuoi. E tu riesci a vedere solo con i tuoi occhi.

Perciò dovresti ricercare una comprensione individuale e diretta, poiché non potrai realizzare mai niente venerando le intuizioni altrui. Di fatto, la ricerca di una tua comprensione potrà iniziare solo quando avrai abbandonato le idee altrui. Finché in te esisterà un sostituto esterno, finché ti verrà fornito qualcosa dall'esterno, la tua ricerca non potrà iniziare.

Quando non riceverai più alcun supporto e alcun appagamento da qualche altra parte, quando non raggiungerai più qualcosa attraverso qualcun altro, sorgerà in te la sfida a ricercare la tua strada e una comprensione esclusivamente tua.

L'uomo è molto pigro. Se potesse raggiungere la conoscenza senza fare fatica, perché dovrebbe farne, perché dovrebbe fare qualcosa? Se potesse raggiungere l'illuminazione solo con un credo, senza alcuna ricerca, perché mai dovrebbe tentare di percorrere in prima persona quel cammino? E visto che qualcuno gli dice: «Credi in me, io ti condurrò all'illuminazione», perché mai dovrebbe fare tanta fatica? Visto che qualcuno gli dice: «Siediti nella mia barca; io ti trasporterò sull'altra sponda e ti realizzerai senza problemi», preferisce sedersi in quella barca in silenzio e addormentarsi.

Ma nessuno può arrivare da qualche parte nella barca di qualcun altro. E nessuno può vedere con gli occhi di un altro: nessuno ci è mai riuscito, né ci riuscirà. Devi camminare con le tue gambe, devi vedere con i tuoi occhi e devi vivere con i battiti del tuo cuore. Devi vivere la tua vita e devi morire la tua morte, da solo. Nessuno può vivere al posto di un altro e nessuno può morire al posto di un altro. Tu non puoi prendere il posto di un altro, né qualcun altro può prendere il tuo. Se in questo mondo esiste una cosa del tutto irrealizzabile, di certo è l'idea che qualcuno possa vivere al posto di un altro.

Durante la Seconda guerra mondiale, due soldati giacevano in un campo di battaglia. Uno era moribondo, era ferito così gravemente che per lui non c'era più alcuna speranza. Anche l'altro era ferito, ma era vivo e non era in pericolo di morte. Erano due amici.

Il soldato moribondo abbracciò l'amico e gli disse: «Ti saluto, non ho possibilità di cavarmela. Ti suggerisco una cosa: prendi il mio libretto personale e dammi il tuo. Il tuo contiene troppe note di biasimo; il mio è ottimo, perciò scambiamoceli. In questo modo, gli ufficiali penseranno che tu sia morto e io sono vivo; e tu riuscirai ad avere una promozione, sbrigati! Scambiamoci i nostri libretti personali e le piastrine».

Il moribondo aveva ragione: i soldati sono solo dei numeri, non hanno nomi. Un soldato ha solo il libretto personale, non ha un'anima. Perciò quello scambio aveva un senso: sarebbe morto il cattivo soggetto e sarebbe vissuto l'uomo buono.

Ma il soldato che non era in pericolo di vita rispose: «Perdonami! Potrei anche prendere il tuo libretto personale e il tuo numero, ma rimarrei comunque me stesso. Sono un cattivo soggetto e lo rimarrei. Io bevo e continuerei a bere. Frequento le prostitute e le frequenterei ancora. Per quanto tempo il tuo libretto personale rimarrebbe impeccabile? Per quanto tempo riuscirebbe a ingannare qualcuno? In breve, i cattivi soggetti diventerebbero due. Tu moriresti da cattivo soggetto e un altro continuerebbe a vivere. Lasciando le cose come stanno, quanto meno la gente dirà che è morto un brav'uomo. Ti porterà dei fiori, se diventassi me, non te li porterebbe. Io non posso morire al tuo posto e tu non puoi vivere al mio. La tua idea è nata dal tuo amore per me ed è buona, ma è contraria alle leggi della vita».

Nessuno può vivere la vita di un altro; nessuno può morire al posto di un altro. Tu non puoi conoscere al posto di un altro, né puoi avere la capacità di vedere al posto di un altro.

Coloro che ti sollecitano ad avere un credo ti hanno detto di guardare con gli occhi di qualcun altro: «Guarda con gli occhi di un *tirthankara*, guarda con gli occhi di un *avatara*». E tu hai sempre creduto a quei predicatori, ragion per cui ora sei invischiato in una rete. Migliaia di insegnanti e i seguaci di migliaia di insegnanti hanno prodotto un tale frastuono, da creare in te una profonda paura dell'inferno e un forte desiderio di paradiso... perciò, piano piano, hai accettato ciò che predicano. E le parole di tutti costoro hanno creato in te un caos tale da sradicare il viaggio della tua vita, prima che potesse condurti da qualche parte.

Quindi, per una persona intelligente la prima cosa da fare è dire addio a tutti i suoi pensieri contraddittori e decidere: «Non ho alcun credo. Voglio conoscere. Il giorno in cui comprenderò le cose in prima persona, solo quel giorno potrò usare la parola "credo". Prima di allora, per me non ci può essere alcun credo. Sarebbe un'illusione, un autoinganno. Non posso ingannare me stesso, dichiarando che conosco cose che invece non conosco, e che riconosco cose che invece non riconosco. Non posso più accettare qualcosa ciecamente».

Tutto ciò non significa che tu rigetti qualcosa, significa semplicemente che prendi le distanze da entrambe le posizioni, sia l'accettazione sia il rifiuto. Dichiari: «Non sono favorevole né sono contrario. Non dico che Mahavira ha torto né che ha ragione. Dico semplicemente che quanto Mahavira ha detto non è la mia conoscenza personale; quindi non ho il diritto di essere favorevole, né di essere contrario. Se un giorno arrivassi a conoscere in prima persona che Mahavira ha ragione, sarò d'accordo con lui. Se un giorno arrivassi a conoscere che Mahavira ha torto, non sarò d'accordo. Ma ora non ho alcuna conoscenza diretta in proposito, come potrei dire sì oppure no?».

Se la tua mente riuscisse a prendere le distanze da entrambe le cose – accettazione e rigetto – l'intrico dei pensieri si scioglierebbe all'istante. Se la sostanza alla base di questa rete si sfaldasse, assomiglierebbe a un castello di carte, che crolla alla minima spinta. In questo momento è un castello in pietra, con fondamenta solide e così profonde da risultare pressoché invisibili; di conseguenza, la tua mente è condizionata a pensare che quanti credono e accettano sono persone religiose, mentre quanti non credono e non accettano non lo sono.

Ma io vi dico che un credente non è una persona religiosa, né lo è il miscredente. La persona religiosa è una persona vera. "Vera" significa che, di fronte a qualcosa che non conosce, non è un credente, né è un miscredente. Dichiara semplicemente e con tutta sincerità che non sa, che ignora; quindi il problema dell'accettazione o del rigetto non esiste.

Riuscirete a trovare il coraggio e la forza per portare il vostro essere in questa posizione intermedia? Se ci riuscirete, il castello dei vostri pensieri crollerà immediatamente, senza alcuna difficoltà.

Questa mattina vi ho parlato di tre punti, questo pomeriggio di un altro e ora di un altro ancora. Pensate attentamente a questi cinque punti. Non cominciate a metterli in pratica, solo perché io ne ho parlato, altrimenti per voi diventerei anch'io un predicatore. Non credete in qualcosa solo perché io ve l'ho detto: può darsi che tutto ciò che ho detto sia sbagliato, o falso, o insignificante e voi potreste trovarvi in difficoltà. Non credete in ciò che ho detto.

Pensate, ricercate e vedete; se attraverso la vostra esperienza personale sentite che in ciò che dico c'è qualche verità, se grazie alla vostra ricerca e all'osservazione attraverso la finestra della vostra mente sentite che c'è qualche verità in ciò che dico, allora quella verità diventerà una vostra verità personale. Allora non sarà più solo mia; non sarà più una comprensione solo mia, diventerà una vostra comprensione personale. In quel caso, tutto ciò che farete diventerà la via che vi condurrà nella vita alla saggezza e al risveglio. Viceversa, tutto ciò che fate affidandovi a un credo, vi porterà sempre di più nelle tenebre e nell'inconsapevolezza. Sarà utile che riflettiate attentamente anche su questo punto.

Prima di sederci per la meditazione serale, risponderò a qualche domanda che mi avete fatto sulla meditazione. Prima risponderò alle domande, poi ci siederemo per la meditazione.

Un amico mi ha chiesto se cantare, cantare qualche mantra sacro, potrebbe essere utile alla meditazione.

Non è affatto utile. Al contrario può diventare un ostacolo perché, cantando un mantra, ripeti continuamente lo stesso pensiero. Un mantra è un pensiero. Quando stai cantando un nome, lo ripeti continuamente; un nome è una parte, è un frammento di un pensiero. Se vuoi liberarti dai pensieri ripetendo un pensiero, sei evidentemente in errore. Finché continuerai a ripetere un pensiero, potrai avere l'impressione che nella tua mente non ci siano altri pensieri perché, come vi ho detto, è nella natura della mente fissarsi su una cosa sola. Comunque anche quello è pur sempre un pensiero; non è di alcuna utilità ripeterlo. Al contrario, è dannoso, in quanto quella continua ripetizione genera nella mente uno stato di inconsapevolezza, l'addormenta!

Prendi un nome qualsiasi e ripetilo continuamente; ben presto in te accadrà il sonno, non il risveglio. La ripetizione di una qualsiasi parola è un metodo per addormentarsi. Quindi, se non riesci a dormire, sarà utile che alla sera tu ripeta: «Rama, Rama», oppure: «Aum, Aum»; ma questo non ti aiuterà nella tua ricerca di realizzazione del tuo essere, della verità, o di una più profonda comprensione dell'esistenza.

Questo metodo è ben noto a tutti, ma tu non ci hai mai pensato. Quando una mamma vuole che il figlioletto si addormenti, canta: «Fa' la ninna, fa' la nanna, tesorino della mamma... Fa' la ninna, fa' la nanna, tesorino della mamma...». Usa un mantra. Ripete sempre le stesse parole: «Fa' la ninna, fa' la nanna, tesorino della mamma...». E dopo qualche minuto il tesorino si addormenta profondamente. Se la mamma pensa che si sia addormentato grazie alla musicalità della sua voce, sbaglia: la noia lo ha fatto addormentare! Se ti sedessi al capezzale di qualcuno e gli ripetessi in continuazione quelle parole, si annoierebbe. Il bambino non può scappare, perciò l'unica via per sfuggire a quelle assurdità è addormentarsi. L'unico modo per liberarsi da tali sciocchezze, la sua unica via di fuga, è addormentarsi; altrimenti dovrebbe continuare ad ascoltare: «Fa' la ninna, fa' la nanna, tesorino della mamma...». Per quanto tempo il tesorino riesce a farlo? Per quanto sia un tesorino, si stanca e l'unica alternativa che gli rimane è addormentarsi rapidamente: è il solo modo perché quell'assurdità finisca.

Perciò se continui a ripetere: «Fa' la ninna, fa' la nanna, tesorino della mamma...» oppure «Rama, Rama» non fa alcuna differenza, le parole si equivalgono tutte: fai alla tua mente la stessa cosa che la mamma fa al suo bambino. Dopo una manciata di minuti, la tua mente è stanca, annoiata, stufa e trova un'unica via di fuga: si addormenta per sfuggire a una simile assurdità. Se pensi che addormentarsi equivalga ad andare in meditazione, commetti un grande errore. Questo sonno è uno stato di inconsapevolezza; certo, dopo ti sentirai bene. Dopo questo sonno ti sentirai bene, come sempre accade dopo un buon sonno. Ti sentirai sollevato, perché mentre dormivi sei sfuggito alle preoccupazioni, al dolore e alla vita stessa.

È la stessa sensazione che prova un alcolizzato, un drogato o un fumatore di oppio, mentre la droga agisce dentro di lui. Dimentica tutte le sue preoccupazioni, fino a quando riprende coscienza e scopre che il dolore è sempre presente; a quel punto aumenta la dose di oppio. All'inizio, gli bastava una piccola dose, in breve la deve raddoppiare e poi aumentare ancora.

Ci sono *sadhu* che hanno usato quantità di oppio tali per cui ora non sentono più alcun effetto; perciò allevano serpenti e solo ricevendo il morso di un serpente sulla lingua si sentono inebriati.

Con le droghe, si ha sempre bisogno di aumentare le dosi... perciò se oggi una persona canta: «Rama, Rama» per quindici minuti, domani ne occorreranno trenta; dopo un mese ci vorrà un'ora. Poi due ore e poi dieci... A quel punto non sarà più in grado di gestire il suo negozio, perché avrà sempre bisogno di cantare: «Rama, Rama» prima di iniziare a lavorare. Perciò dovrà andare nella foresta e abbandonare tutto, perché questo cantare sarà diventato una droga. Inoltre, maggiore sarà la frequenza del suo cantare e più gli sembrerà importante, perché smettendo, sarà invaso dalla sofferenza; e alla fine deciderà di cantare per ventiquattr'ore al giorno, ma così rasenterà la pazzia.

Da tutto ciò non può sgorgare alcuna conoscenza né alcuna comprensione nella vita di un uomo. Gli stati e le nazioni che si fanno intrappolare in questo tipo di follia perdono tutto e diventano privi di vigore. L'India è un chiaro esempio vivente: ha perso tutta la sua vitalità, la sua gloria e il suo vigore; si è indebolita per colpa di queste stupidaggini. Ripetendo litanie senza senso non si assurge ad alcuna gloria: la ripetizione genera solo inconsapevolezza.

Perciò le culture che hanno compreso il metodo della ripetizione, che hanno imparato ad addormentarsi ripetendo qualcosa... Se hai in casa un figlio ammalato, puoi evitare quella situazione spiacevole mettendoti a cantare: «Rama, Rama». In questo modo diventi inconscio e per te il figlio e il mondo scompaiono: non hai più nulla di cui preoccuparti! Se non riesci a trovare un lavoro, puoi evitare quella situazione spiacevole mettendoti a cantare: «Rama, Rama». Così non ti preoccupi più per il lavoro o per il cibo. Le nazioni povere e bisognose continuano a scoprire metodi di questo tipo: servono a evitare di fare qualcosa di costruttivo, e così diventano sempre più povere e più indigenti.

Con la lotta e la fatica, cambi la vita. Con lo sforzo per affrontarla e per cambiarla, cambi la vita. Non la cambi, tenendo gli occhi chiusi e cantando un mantra. Tutte queste cose sono semplicemente oppio, perciò lascia perdere qualsiasi idea di cantare parole, nomi o mantra.

La meditazione è la Via per risvegliare la consapevolezza nelle profondità del tuo essere, non per addormentarla. Ciò che è nascosto nelle profondità del tuo essere dovrebbe risvegliarsi e diventare così consapevole da non lasciare addormentata neppure una sola parte di te. Tutto il tuo essere dovrebbe risvegliarsi. Il nome di questo stato di consapevolezza è meditazione.

Ma in India, puoi giacere in uno stato di incoscienza, e la gente intorno a te dirà che hai raggiunto il *samadhi*. Puoi avere la bava alla bocca, le vertigini ed essere in preda a una crisi isterica, e la gente intorno a te dirà che hai raggiunto il *samadhi*. È un attacco isterico, ma la gente pensa che tu abbia raggiunto il *samadhi*. Questa non è meditazione né *samadhi*: è solo un attacco isterico. Perdere i sensi è una malattia. In America o in Europa, se qualcuno ha un attacco isterico o è ammalato, viene curato; in India la gente è così folle e ignorante da mettersi a cantare inni sacri intorno a questa persona, dichiarando che questo sant'uomo ha raggiunto il *samadhi*! Se fossero intelligenti cercherebbero di curare questi grandi uomini: sono tutti ammalati, non sono affatto sani. La loro malattia è mentale, è il risultato estremo della loro tensione mentale: se qualcuno è sdraiato a terra con la bava alla bocca, non ha raggiunto il *samadhi*; ed è pura stupidità che i devoti si mettano a cantare inni sacri, dichiarando che l'ha raggiunto. *Samadhi* significa consapevolezza assoluta; non significa sonno o inconsapevolezza.

*Samadhi* significa che l'essere è diventato così consapevole che in lui non è rimasta traccia di tenebre, tutto è diventato luce. Una lampada di consapevolezza si è accesa in profondità. *Samadhi* non significa sonno o inconsapevolezza, significa consapevolezza e presenza attenta, vigile. Un uomo in *samadhi* rimane consapevole e risvegliato per tutta la vita; in ogni istante, in ogni suo respiro. Ma se qualcuno riesce a raccogliere dei devoti intorno a colui che è in preda a un attacco isterico, perché dovrebbe dichiarare che è un errore? Questa follia è perpetuata da migliaia di anni e sfortunatamente non si può prevedere quanto durerà: voi l'aiutate a perpetuarsi. No, io non chiamo meditazione il cantare o il ripetere mantra.

Meditazione significa due cose: fare lo sforzo per meditare e creare consapevolezza in voi stessi. Anche nella meditazione che faremo questa sera, non addormentatevi! E ora faremo la meditazione serale.

Non dovreste addormentarvi. Rilassate il corpo, rilassate il respiro, rendete silenziosa la mente, ma non addormentatevi. Siate totalmente svegli interiormente. Ecco perché vi ho detto di ascoltare tutto ciò che accade all'esterno: se siete in ascolto rimarrete svegli. Ma se non rimanete in ascolto, c'è la possibilità che vi addormentiate. Il sonno è una buona cosa, non è un male; ma non pensate che il sonno sia meditazione. Il sonno è necessario, ma non è meditazione; dovete ricordarlo. Quando non riuscite ad addormentarvi, potete cantare un mantra per favorire il sonno; ma non commettete l'errore di pensare che così possiate fare un'esperienza spirituale. Potreste commettere questo errore, non è difficile. Così come una persona prende i sonniferi, voi cantate un mantra; non c'è problema, funzionerà come un sonnifero.

Quando Vivekananda era in America, disse qualcosa a proposito dei mantra e della meditazione e un giornalista scrisse in un articolo che quelle parole gli sembravano vere, in quanto si aveva la sensazione che un mantra fosse un tranquillante naturale non allopatico. Era un buon sistema per favorire il sonno.

Favorire il sonno è una cosa, ma generare uno stato di meditazione è una cosa totalmente diversa. Nell'esperimento che stiamo facendo, dovete rilassarvi, dovete continuare ad ascoltare; ma interiormente dovete rimanere del tutto vigili.

Domani parleremo più diffusamente di questo fenomeno, di che cosa vuol dire rimanere vigili, e le cose vi saranno più chiare.

Prima di iniziare questo esperimento, cercate di comprendere alcune cose. Innanzitutto è un esperimento molto semplice. Non pensate di fare una cosa molto difficile. Qualsiasi cosa pensiate sia difficile, lo diventa; non perché lo sia, ma perché il vostro pensiero la rende tale. Qualsiasi cosa pensiate sia facile, lo diventa. La difficoltà sta nella vostra percezione.

Per migliaia di anni vi hanno detto che la meditazione è una cosa molto difficile, che può accadere solo a persone rare, che è come camminare sul filo di una spada, e via dicendo... Tutte queste cose hanno creato nella vostra mente la sensazione che la meditazione sia per poche rare persone e non per tutti. «Tutto ciò che noi possiamo fare è pregare e venerare, oppure cantare: "Rama, Rama", oppure cantare inni sacri ogni giorno a voce alta in modo da trasmetterne i benefici anche ai nostri vicini!» Voi pensate che questo è tutto ciò che potete fare, perché la meditazione è solo per pochi eletti; ma è assolutamente sbagliato!

La meditazione è accessibile a tutti; è una cosa semplice, al punto che è difficile trovare una persona che non riesca a meditare. Ma dovete prepararvi, dovete comprendere la vostra capacità, il vostro atteggiamento e il vostro compito, quando entrate in una tale semplicità. È molto semplice, è semplice come la cosa più semplice che esista.

Con la stessa semplicità con cui un bocciolo diventa un fiore, la mente umana può diventare meditativa. Ma affinché un bocciolo diventi un fiore occorrono la luce, l'acqua e il fertilizzante. È naturale: questi sono i suoi bisogni. Allo stesso modo la mente ha determinati bisogni per diventare meditativa. Ed è di questi che stiamo parlando.

Ieri abbiamo parlato dei bisogni del corpo, oggi abbiamo detto che cosa dovete fare per creare una mente sana e che cosa dovete fare per liberarvi dalla rete ingarbugliata dei pensieri. Domani parleremo del cuore, il secondo centro. Se comprenderete il cuore e la mente, riuscirete facilmente a entrare nel terzo centro.

È possibile che oggi si siano unite a noi alcune persone nuove, perciò ora devo dire loro che per questa meditazione ci sdraieremo per terra.

È la meditazione serale e deve essere fatta sdraiati per terra, prima di andare a letto. Perciò ciascuno cerchi il proprio spazio e si sdrai, senza toccare nessun altro. Qualcuno può venire qui dietro e qualcuno può sdraiarsi sul pavimento di fronte.

*Settimo discorso*

# Sintonizzare il cuore

Amici carissimi,

la mente è il centro del pensiero, il cuore è il centro dei sentimenti e l'ombelico è il centro dell'energia vitale. Nella mente accadono il pensiero e la contemplazione: ieri abbiamo parlato di questo centro. I sentimenti, le esperienze emotive – come l'amore, l'odio e la collera – accadono nel cuore. L'energia vitale scaturisce dall'ombelico.

Il primo giorno vi ho detto che la mente è molto tesa e deve essere rilassata. Pensando, produci una forte tensione e molto stress: la mente vive oppressa da questo stress. Le corde della vina del pensiero sono talmente tese da non lasciar fluire la musica della vita; al contrario, si spezzano e l'uomo ne è disturbato, al punto da impazzire. Affinché quella musica scaturisca, è assolutamente necessario rilassare le corde della vina del pensiero, in modo che possano essere in sintonia.

Nel cuore, la situazione è esattamente l'opposto. Le corde del cuore sono molto allentate: per poter creare musica hanno bisogno di essere più tese, in modo che possano entrare in sintonia. Nelle corde del pensiero la tensione deve essere ridotta, viceversa le corde allentate del cuore devono diventare più tese.

Quando sia le corde del pensiero sia quelle dei sentimenti entrano in sintonia, quando sono equilibrate, dalla vina della vita può scaturire una musica, grazie alla quale è possibile compiere il viaggio verso l'ombelico.

Ieri abbiamo parlato di come potete rendere silenziosi i pensieri, questa mattina parleremo di come potete rendere più tese le corde dei sentimenti, del cuore. Ma prima che possiate comprendere questo, dovete capire che il genere umano è vissuto per secoli sotto una maledizione: tutte le qualità del cuore sono sempre state condannate. L'uomo ha sempre considerato tutte le qualità del cuore come una maledizione, mai come una benedizione. Questa ignoranza, questo errore hanno prodotto nell'uomo danni incalcolabili. Avete condannato la collera, avete condannato l'orgoglio, l'odio e ogni bramosia, avete condannato ogni cosa. E l'avete fatto senza comprendere che tutte queste qualità sono solo modificazioni delle stesse qualità che elogiate. Avete elogiato la compassione e condannato la collera, senza comprendere che la compassione è la trasformazione dell'energia della collera stessa. Avete condannato l'odio ed elogiato l'amore, senza comprendere che l'energia che appare sotto forma di odio può essere trasformata e riapparire sotto forma di amore. L'energia che si nasconde dietro entrambi è sempre la stessa. Avete condannato l'orgoglio ed elogiato l'umiltà, senza comprendere che l'energia che appare sotto forma di orgoglio può diventare umiltà. Tra questi due sentimenti non esiste alcun conflitto di base: sono due aspetti della medesima energia.

Se le corde della vina sono troppo allentate o troppo tese, e un musicista le sfiora, il suono che ne sgorga non è armonioso, ma disturba l'udito e spaventa la mente. Se per protestare contro questi suoni cacofonici qualcuno va in collera e spezza le corde della vina e poi getta via anche lo strumento, può farlo ma non deve dimenticare che potrebbe invece accordarlo e trarne suoni armoniosi. I suoni cacofonici non sono imputabili alla vina: l'errore sta nel non averla accordata; se fosse stata accordata, le stesse corde che producono suoni cacofonici avrebbero potuto creare una musica che sarebbe stata un balsamo per l'anima.

Le note armoniose e le note cacofoniche sgorgano dalle stesse corde, sebbene appaiano assolutamente contraddittorie e il loro effetto sia opposto. Le note armoniose vi elevano in uno stato di beatitudine e quelle cacofoniche vi sprofondano in uno stato di infelicità, ma le corde e lo strumento sono sempre gli stessi.

La collera sorge nel cuore dell'uomo se il suo cuore non è equilibrato. Se lo stesso cuore trova equilibrio, l'energia che era apparsa come collera si trasforma in compassione. La compassione è la trasformazione della collera.

Se un bambino nascesse senza la collera, certamente nella sua vita non apparirebbe mai la compassione. Se nel cuore di un bambino non ci fosse alcuna possibilità di odio, non ci sarebbe neppure una possibilità d'amore.

Ma fino a questo momento voi avete vissuto nell'illusione che questi sentimenti siano in contrasto e contraddittori tra loro e che, se distruggete l'uno, l'altro avrà il sopravvento. È assolutamente sbagliato. Non può esserci insegnamento più pericoloso di questo, non ha un fondamento psicologico e manca del tutto di intelligenza. La compassione non sgorga dalla distruzione della collera: la puoi raggiungere trasformando la tua collera. La compassione non è frutto della distruzione della collera: è la collera stessa che è entrata in sintonia ed è diventata armonia.

Perciò, se combatti la tua collera e tenti di distruggerla

è come se tu tentassi di distruggere lo strumento musicale. Distruggendolo, rendi debole e fragile il tuo sviluppo; non riuscirai a sviluppare in te alcuna qualità del cuore. È come se tu per far sbocciare i fiori accumulassi intorno alla tua casa un fertilizzante che diffonde sporcizia e cattivo odore dovunque. Invece della fragranza dei fiori, sentirai il fetore del fertilizzante e la tua vita diventerà insopportabile.

I fiori sbocciano certamente grazie al fertilizzante, ma non devi limitarti ad accumularlo intorno alla casa. Per prima cosa il fertilizzante deve sottostare a un cambiamento. Deve raggiungere le piante attraverso le radici e finalmente un giorno il suo fetore si trasformerà nel fragrante profumo dei fiori. Se ti limiti ad accumulare il fertilizzante intorno alla tua casa, impazzisci per il fetore; e tuttavia, se lo gettassi via, i tuoi fiori non avrebbero vitalità e appassirebbero. La trasformazione del fertilizzante può trasformare il fetore in un profumo fragrante.

Questa chimica, questa alchimia si chiama yoga, religiosità. La religione è l'arte di trasformare in un valore reale qualcosa che nella vita è insignificante.

Ma ciò che voi fate in nome della religione è un suicidio: non state affatto trasformando la vostra consapevolezza. Vivete basandovi su un malinteso di fondo, l'ombra di una profonda maledizione aleggia su di voi. I vostri cuori non si sono sviluppati, perché avete condannato le qualità basilari del cuore; ed è bene che lo comprendiate più a fondo.

Se una persona cresce nel modo giusto, nella sua vita la collera ha una parte importante. Infatti la collera ha un colore proprio; se viene rimossa, il dipinto della vita dell'uomo risulta in certo qual modo incompleto, manca di una tonalità. Ma voi cominciate a insegnare al bambino, fin dalla sua più tenera infanzia, a reprimere certe qualità e il risultato di questa repressione è che il bambino comincerà, a poco a poco, a reprimere tutto ciò che voi giudicate cattivo: lo reprimerà dentro di sé. E un cuore represso si indebolisce, perché le sue corde non sono più accordate a dovere. Questa repressione accade nella mente del bambino, perché la vostra educazione si limita alla mente, non va mai più in profondità.

Quando dici al bambino che la collera è una cosa cattiva, questo insegnamento non raggiunge il suo cuore. Il cuore non ha orecchie per udire e neppure parole per formulare pensieri. Questo insegnamento raggiunge solo la mente e la mente non può cambiare il cuore. Ebbene, ora sorge un problema: il centro della mente pensa che la collera sia una cosa sbagliata, ma non lo è per il centro del cuore che non è connesso con la mente. Perciò, ogni giorno tu vai in collera e ogni giorno ti penti e decidi di non esserne più preda; ma il mattino seguente ti svegli, e di nuovo vai in collera. Sei meravigliato, perché hai deciso così tante volte di non essere più preda della collera, e invece ti accade continuamente.

Tu non sai che il centro che sente la collera è diverso dal centro della mente. Il centro che decide: «Non voglio più essere preda della collera» è del tutto diverso dal centro che la sente. Sono due centri assolutamente diversi. Perciò la decisione e il pentimento non producono alcun effetto sulla tua collera: tu continui a esplodere, e continui a pentirti e a sentirti a disagio per questo. Non capisci che questi due centri sono così separati tra loro, che la decisione presa da uno non raggiunge affatto l'altro... perciò l'uomo si disintegra interiormente.

Il centro del cuore opera in un certo modo e ha bisogno di certe cose per svilupparsi. Se la mente interferisce, questo centro diventa del tutto caotico, del tutto stravolto; ed è caotico e disturbato in tutti voi. Di certo, la prima cosa da fare è trasformare la collera, ma non distruggerla.

Quindi, la chiave primaria per tendere le corde del cuore consiste nello sviluppare tutte le qualità del cuore, nessuna deve essere distrutta. Forse sarete un po' perplessi: allora bisogna sviluppare la collera? Io dico che dovete sicuramente svilupparla, affinché un giorno possa trasformarsi e diventare compassione; altrimenti in voi non sorgerà mai alcuna compassione. Se leggeste le biografie dei personaggi più compassionevoli del mondo, scoprireste che agli inizi della loro vita erano persone molto colleriche. La collera ha una propria dignità e un proprio orgoglio; se leggeste le biografie degli uomini illustri, che si sono votati al celibato, scoprireste che agli inizi della loro vita erano persone con una sessualità prepotente.

Gandhi si votò al celibato solo perché da giovane aveva vissuto una sessualità prepotente. Il padre di Gandhi era in punto di morte e i medici gli dissero che non avrebbe superato la notte, tuttavia anche quella notte Gandhi non riuscì a stare lontano da sua moglie. Era l'ultima notte di vita per suo padre, sarebbe stato naturale che Gandhi la trascorresse al suo capezzale. Sarebbe stato il suo congedo da lui, non l'avrebbe rivisto mai più in vita, ma nel cuore della notte andò da sua moglie. Suo padre morì mentre era a letto con la moglie. Questo fatto creò un forte shock nella mente di Gandhi, di conseguenza si votò al celibato. Questo shock trasformò in un desiderio di celibato tutte le energie altamente sessuali della sua mente.

Come poté accadere? Accadde perché l'energia è sempre neutrale: si ha solo un cambiamento di direzione. L'energia che fluiva nella sessualità cominciò a fluire nella direzione opposta.

Se un'enorme quantità di energia è già presente, può fluire in qualsiasi altra direzione; ma se l'energia non c'è, non può fluire da nessuna parte. Che cosa potrebbe fluire?

Tutte le energie dovrebbero svilupparsi correttamente. Le idee degli insegnamenti morali hanno trasformato l'uomo in un essere molto infelice e impotente. In passato gli uomini sperimentavano la vita in modo più profondo di quanto si faccia ora.

Due giovani di Rajput si recarono alla corte del re Akbar. Erano fratelli. Dissero al re: «Stiamo cercando lavoro».

Akbar chiese: «Che cosa sapete fare?».

Risposero: «Non sappiamo fare niente, ma siamo uomini impavidi. Potresti avere bisogno di noi».

Akbar domandò: «Avete un documento che certifichi il vostro coraggio? Che prova potete darmi?».

Entrambi i fratelli, sorridendo, dissero: «Può forse esserci un certificato per il coraggio? Noi siamo impavidi».

Akbar di rimando: «Non potete ottenere un lavoro senza un certificato».

Di nuovo i fratelli risero. Estrassero le spade e, nello spazio di un secondo, avevano affondato le spade l'uno nel torace dell'altro. Akbar rimase impressionato. Entrambi i giovani giacevano per terra, il sangue scorreva a fiotti, ma essi erano sorridenti! Gli dissero: «Akbar, non sai che può esserci un solo certificato per il coraggio: la morte. Non può esserci altro certificato all'infuori di questo». E morirono entrambi. Gli occhi di Akbar si riempirono di lacrime. Non avrebbe mai immaginato che potesse accadere una cosa simile! Chiamò uno dei comandanti del suo esercito di stanza a Rajput e gli disse: «È accaduto un incidente gravissimo: due giovani di Rajput si sono uccisi a vicenda. Io avevo chiesto loro solo un certificato!».

Il comandante gli rispose: «Hai posto la domanda sbagliata: avrebbe fatto montare il sangue alla testa a qualsiasi abitante di Rajput. Che "certificato di uomo coraggioso" potrebbe esserci, all'infuori della morte? Solo un codardo e un debole potrebbe presentare un certificato del proprio coraggio: qualcuno che lo attesti. Come potrebbe farlo un uomo coraggioso? Hai posto una domanda sbagliata; non sai parlare a un uomo di Rajput. Ciò che hanno fatto è giusto, non avevano altra possibilità. È stata una scelta lampante».

Una collera tanto intensa! Che splendore! Questo tipo di personalità ha una regalità grandiosa. Il genere umano sta perdendo queste qualità. Tutto lo splendore, il coraggio e la forza dell'uomo vengono via via sempre più annientati, e voi pensate di educare bene i vostri figli! Non è affatto così: i vostri figli si sviluppano in un modo fondamentalmente sbagliato: in loro non cresce alcuna delle caratteristiche di un essere umano reale!

Un Lama molto famoso ha scritto nella sua autobiografia: «All'età di cinque anni fui mandato a studiare in una lamasseria. Avevo solo cinque anni! Una sera mio padre mi aveva detto che la mattina dopo mi avrebbe mandato in quella lamasseria: "Né io, né tua madre saremo presenti alla tua partenza per salutarti. Tua madre non ci sarà, perché altrimenti scoppierebbe in lacrime e tu, vedendola piangere, continueresti a voltarti indietro a guardarla, e nella nostra famiglia mai nessuno si è guardato alle spalle con rimpianti. E non ci sarò neppure io, perché se tu, una volta montato a cavallo, ti voltassi indietro a guardarci anche una sola volta, non saresti più mio figlio e per te questa casa sarebbe chiusa per sempre. Domattina la servitù ti augurerà buon viaggio; e ricorda: dopo essere montato a cavallo, non voltarti. Nella nostra famiglia nessuno si è mai guardato alle spalle con rimpianti!"».

Che aspettativa nei confronti di un bambino di cinque anni! Il bambino fu svegliato alle quattro del mattino e messo in groppa al cavallo. La servitù gli augurò buon viaggio. Mentre partiva, un servo gli disse: «Figliolo, sta' attento! Possono vederti fino all'incrocio e tuo padre ti sta osservando dal piano di sopra. Non voltarti prima di essere arrivato all'incrocio. In questa famiglia tutti i figli sono partiti da casa in questo modo, ma nessuno si è mai voltato a guardare». E aggiunse: «Il luogo in cui ti stanno mandando non è una scuola normale, gli uomini più insigni del Paese vi hanno studiato. Dovrai superare un esame di ammissione molto difficile. Perciò, qualunque sia la prova, fa' di tutto per superare quell'esame, perché se fallissi per te non ci sarebbe più posto in questa casa».

Che severità con un bimbo di cinque anni! Egli rimase in groppa al cavallo e nell'autobiografia quel Lama ricorda che, mentre cavalcava: «Le lacrime scendevano copiose sulle mie guance, ma come avrei potuto voltarmi a guardare la casa e mio padre? Partivo verso l'ignoto... Ero così piccolo, ma non potevo guardarmi alle spalle, perché nella mia famiglia nessun uomo si era mai voltato con rimpianti. Se mio padre mi avesse visto fare una cosa simile, sarei stato scacciato da casa mia per sempre. Perciò mi controllai e continuai a guardare davanti a me, non mi voltai mai indietro!».

Stavano creando qualcosa in quel bambino. Stavano risvegliando in lui una forza di volontà, l'energia vitale necessaria a rafforzare il suo centro nell'ombelico. Quel padre non era inflessibile, amava molto il figlio. Tutti i padri e tutte le madri che sembrano amorevoli sbagliano: indeboliscono i centri interiori dei loro figli. Non creano in loro alcuna forza, alcuna determinazione.

Il bambino raggiunse la scuola. Era un bambino di cinque anni, non c'era modo di conoscere le sue capacità. Il rettore gli disse: «Il nostro esame di ammissione è difficile. Siediti accanto alla porta, tieni gli occhi chiusi e non aprirli fino al mio ritorno, qualsiasi cosa accada. Questo è il tuo esame di ammissione. Se aprissi gli occhi, ti respingeremmo poiché chi non ha dentro di sé neppure la forza di stare seduto a occhi chiusi per un certo periodo di tempo non può imparare niente. In questo caso ti chiuderemmo le porte dell'apprendimento, perché non ne saresti degno. Dunque, dovresti andartene a fare qualcos'altro». Tutto questo a un bambino di cinque anni...

Il bambino si sedette vicino all'ingresso a occhi chiusi. Le mosche cominciarono a infastidirlo, ma sapeva che non doveva aprire gli occhi: se li avesse aperti sarebbe stato respinto. Gli altri bambini entravano e uscivano dalla scuola: qualcuno lo strattonava, qualcun altro lo punzecchiava, ma lui era determinato a non aprire gli occhi, altrimenti avrebbe rovinato tutto. Si ricordava ciò che gli aveva detto il servo: se fosse stato respinto all'esame di ammissione, per lui la casa paterna sarebbe stata chiusa per sempre.

Passò un'ora, ne passarono due: egli stava sempre seduto a occhi chiusi, con la paura di aprirli per errore. Le tentazioni erano molte: la strada era trafficata, i bambini correvano intorno a lui, le mosche lo infastidivano, alcuni bambini lo strattonavano e gli tiravano sassolini. Voleva aprire gli occhi per vedere se il suo maestro era arrivato. Passò un'ora, ne passarono due, tre, quattro... rimase seduto là per sei ore!

Al termine di quelle sei ore, il maestro arrivò e gli disse:

«Figliolo, il tuo esame di ammissione è terminato. Entra: diventerai un giovane con una grande forza di volontà. Hai in te la determinazione per fare tutto ciò che vuoi. Stare seduto a occhi chiusi per cinque o sei ore, alla tua età è una cosa grandiosa!». Il maestro lo abbracciò dicendogli: «Non preoccuparti, avevo detto io a quei bambini di infastidirti: avevo detto loro di disturbarti un po' per creare in te la tentazione di aprire gli occhi».

E il Lama scrisse: «A quel tempo pensavo di essere stato trattato molto duramente, ma ora, alla fine della mia vita, mi sento colmo di gratitudine verso coloro che furono severi con me. Risvegliarono in me qualcosa: una forza dormiente si attivò dentro di me».

Voi state facendo l'opposto. Raccomandate: «Non andate in collera con i figli, non picchiateli!». Ora, in tutto il mondo, sono state abolite le punizioni corporali. Non si può picchiare un bambino, non si può punirlo fisicamente. Questo comportamento non è saggio: la punizione è frutto dell'amore, non dell'odio. Nei bambini che hanno ricevuto delle punizioni, i centri interiori si risvegliano. La loro spina dorsale si rafforza sempre di più. In loro sorge la determinazione. Sorgono anche la collera e l'orgoglio: in loro nasce una forza interiore che potrà svilupparsi.

Noi stiamo creando persone senza spina dorsale, che possono solo strisciare per terra e che non riescono a volare come aquile nel cielo. Stiamo creando un uomo deforme che striscia, poiché non ha spina dorsale. E pensiamo di farlo mossi dalla compassione, dall'amore e dalla morale.

Voi insegnate all'uomo a non andare in collera, gli insegnate a non esprimere alcuna intensità, gli insegnate a diventare debole e sfuggente, viscido. Nella vita di un uomo simile non può esserci l'anima. In un uomo simile non può esserci anima, perché è incapace di nutrire i sentimenti intensi del cuore, che sono necessari all'anima.

Un tempo esisteva un re musulmano di nome Omar che aveva combattuto strenuamente un nemico per dodici anni.

Nell'ultima battaglia, quella conclusiva, dopo avergli ucciso il cavallo, Omar sbatté a terra il suo nemico e si sedette sul suo petto. Estrasse il pugnale e stava per affondarglielo nel cuore, quando l'altro gli sputò in faccia. Omar gettò via il pugnale e si alzò. Il nemico rimase stupefatto ed esclamò: «Omar, dopo dodici anni, hai finalmente l'opportunità di uccidermi. Perché te la lasci scappare?».

Omar gli rispose: «Pensavo che fossi un nemico degno di me, ma sputandomi in faccia hai dimostrato una meschinità tale che mi toglie la voglia di ucciderti. La meschinità che hai dimostrato non è una qualità di un uomo coraggioso; pensavo che fossi un mio pari, perciò ti ho fatto la guerra per dodici anni. Ma il tuo sputo rivela un'assoluta mancanza di coraggio! Se ti uccidessi commetterei un peccato. Che cosa direbbe il mondo se uccidessi un uomo così debole? La questione è chiusa».

Quelli erano uomini meravigliosi! L'invenzione delle bombe e delle armi moderne ha distrutto tutto ciò che era significativo nell'essere umano. I combattimenti corpo a corpo avevano il loro valore. Mettevano a nudo tutto ciò che era nascosto nell'intimo di un uomo. Oggi, non un solo soldato combatte direttamente: getta bombe da un aereo. Questa soluzione non mette affatto in gioco il suo coraggio e le sue qualità interiori: se ne sta semplicemente seduto a premere il bottone di una macchina da guerra.

La possibilità di risveglio presente nell'interiorità dell'uomo è diminuita: non deve stupire, poiché l'uomo è diventato tanto debole e fragile. Il suo essere autentico non riesce a svilupparsi. Tutti gli elementi della sua interiorità non riescono a fondersi per esprimersi, per manifestarsi.

Il nostro sistema educativo è sorprendente. Secondo me, tutte le qualità del cuore insite nell'uomo dovrebbero svilupparsi con assoluta intensità e pienezza: questa dovrebbe essere la priorità. Solo grazie a questo sviluppo totale può accadere una trasformazione. Ogni trasformazione accade toccando un estremo, a metà strada non accade mai nulla. Se riscaldi l'acqua, non evapora quando è ancora tiepida. L'acqua tiepida resta sempre acqua, ma a cento gradi – toccando questa temperatura estrema – accade la trasformazione e l'acqua comincia a evaporare: l'acqua si trasforma in vapore a cento gradi, mai prima; l'acqua tiepida non diventa mai vapore!

Voi siete tutte persone tiepide; nella vostra vita non potrà mai accadere alcuna trasformazione. Dovreste sviluppare al massimo tutte le qualità della vostra mente e del vostro cuore: solo così vi potrà accadere una rivoluzione; solo così in voi potrà accadere un cambiamento. Quando la collera ha una propria intensità, può trasformarsi in compassione, altrimenti è impossibile.

Ma voi siete nemici della collera, dell'avidità, della passionalità, per cui diventate solo persone tiepide. La vostra vita rimane tiepida e nessuna trasformazione può mai accadere in voi. Questa tiepidezza ha prodotto nell'essere umano un effetto terribilmente dannoso.

Secondo la mia visione, la prima cosa che dovete comprendere è che tutte le qualità della vostra personalità e del vostro cuore devono svilupparsi nel modo giusto. La collera intensa ha una propria bellezza, che voi potete anche non vedere. La collera intensa ha uno splendore, un'energia, un suo significato. A suo modo dà un contributo alla personalità. Tutte le qualità del cuore dovrebbero essere sviluppate intensamente.

Quindi, il primo punto è che le qualità del cuore devono essere sviluppate, non distrutte.

E qual è il secondo punto? Il secondo punto è che in voi dovrebbe esserci consapevolezza, non repressione. Più reprimete i sentimenti del vostro cuore e più essi cadono nell'inconscio.

Si perde di vista qualsiasi cosa venga repressa: si sposta nell'oscurità. Dovresti osservare con lucidità tutte le energie del tuo cuore. Se ti senti in collera, non cercare di reprimerla, cantando: «Rama, Rama». Se ti senti in collera, siediti da solo in camera, chiudi la porta e medita sulla tua collera. Osservala nella sua pienezza, senza mezze misure: «Che cos'è questa mia collera? Qual è l'energia di questa collera? Da dove scaturisce? Perché è sgorgata? In che modo sovrasta la mia mente e in che modo mi influenza?».

In solitudine, medita sulla tua collera. Osservala nella sua pienezza, comprendila, riconoscila: da dove sgorga e perché? Allora, piano piano, diventi padrone della tua collera. E colui che diventa padrone della propria collera acquisisce un potere enorme, una forza immensa. Diventa forte e vigoroso, diventa Maestro di se stesso.

Perciò non si tratta di combattere la collera, bensì di conoscerla; perché ricorda, non esiste energia superiore alla conoscenza e non c'è stupidità maggiore di quella manifestata da chi combatte contro le proprie energie. Chi combatte contro le proprie energie commette lo stesso errore di chi lotta contro le proprie mani. Se una mano lotta contro l'altra, nessuna delle due vincerà mai, perché entrambe appartengono alla stessa persona. La tua energia fluisce in entrambe le mani e, se queste lottano tra loro, andrà perduta: quindi non potrai mai vincere; in una simile lotta lo sconfitto sarai tu. Avrai sciupato tutta la tua energia.

A chi appartiene l'energia della tua collera? È la tua stessa energia: è tua, ma tu sei colui che la combatte. Se dividi il tuo essere e lotti contro te stesso, non farai che scinderti in due; alla fine ti disintegrerai e non sarai mai una persona integra. Chi lotta contro se stesso, nella vita non potrà mai conseguire alcunché, ci saranno solo sconfitte. Non potrà mai realizzarsi, è impossibile. Non lottare! Conosci le tue energie e comprendile, familiarizzati con esse.

Perciò il secondo punto è: non repressione, ma consapevolezza. Non reprimere! In ogni momento qualsiasi energia sorga in te, non reprimerla. Tu sei un insieme di energie sconosciute; sei il centro di energie sconosciute con le quali non hai alcuna familiarità e delle quali non hai alcuna consapevolezza.

Migliaia di anni fa, quando un lampo colpiva la Terra, l'uomo si spaventava; congiungeva le mani e pregava: «Oh, Dio! Sei in collera? Che cos'è accaduto?». L'uomo aveva paura a causa di quel lampo; ma oggi noi conosciamo l'elettricità – ci siamo impadroniti di questa energia, dominandola – perciò non provoca più in noi alcuna paura, al contrario ci serve: illumina le nostre case, aiuta nelle cure mediche, fa funzionare le macchine. L'intera vita umana ne è influenzata e sostenuta; ma per migliaia di anni l'uomo ha avuto paura dell'elettricità perché non sapeva che cosa fosse. Conoscendola, ce ne siamo impadroniti.

La conoscenza fa di te un Maestro. In te si accendono

molte energie, ben più potenti della elettricità: la collera, l'astio, l'amore. Ciò che accade ti spaventa, perché non sai che cosa siano tutte queste energie.

Trasforma la tua vita in un laboratorio interiore e inizia a conoscere queste energie interiori; osservale, riconoscile. Non reprimerle mai, neppure senza averne l'intenzione. Non averne mai paura, neppure per errore; cerca piuttosto di riconoscere tutto ciò che hai dentro di te. Se insorge la collera, sentiti fortunato e grato verso chi l'ha provocata, perché ti ha offerto un'opportunità: in te è sorta un'energia e ora puoi osservarla. Osservala in silenzio e in solitudine: impegnati per vedere di che cosa si tratta.

Più aumenterà la tua conoscenza e più la tua comprensione diventerà profonda. Più acquisirai la padronanza della tua collera e più scoprirai di averla sotto controllo. Il giorno in cui diventerai un maestro della tua collera, potrai trasformarla.

Puoi trasformare solo ciò di cui hai la padronanza, non ciò di cui non sei padrone. E ricorda, non potrai mai essere padrone di qualcosa contro cui stai lottando, poiché è impossibile avere sotto controllo un nemico; puoi governare solo un amico. Se diventi un nemico delle energie che esistono in te, non potrai mai acquisirne la padronanza. Senza amore e amicizia per le tue energie non potrai mai essere vincitore.

Non averne mai paura e non condannare mai l'infinito tesoro di energie che esiste in te. Comincia a conoscere ciò che è nascosto nella tua interiorità.

Nell'uomo è nascosto tantissimo, qualcosa di sconfinato. Noi non siamo neppure all'inizio dell'umanità. Probabilmente fra dieci o venticinquemila anni l'umanità si sarà allontanata dalla nostra condizione attuale, quanto noi oggi siamo lontani dalle scimmie. È possibile che si evolva una razza umana totalmente nuova, poiché attualmente non abbiamo neppure la più pallida idea di quante energie si muovono nell'uomo.

Gli scienziati affermano che l'uomo non utilizza circa la metà del suo cervello, non ne fa alcun uso. L'uomo usa solo una piccola parte del suo cervello, il resto giace inutilizzato. Queste parti non possono essere inutili, in natura niente è inutile. Probabilmente, mentre l'esperienza e la conoscenza umana continueranno a evolversi, quelle parti si attiveranno e svolgeranno delle funzioni; a quel punto, ciò che l'uomo potrà conoscere, supera ogni nostra immaginazione.

Se un uomo è cieco, nel suo mondo non esiste nulla che assomigli alla luce: per lui la luce non esiste. Senza occhi che vedono, la luce non esiste. Gli animali privi di occhi non sanno neppure che nel mondo esiste la luce. Non possono immaginarla, non possono neppure sognare che esista. Noi abbiamo cinque sensi... chi può dirlo? Se avessimo un sesto senso forse conosceremmo molte più cose che comunque esistono. Se avessimo sette sensi ne conosceremmo ancora di più. Chi può dire quali siano i limiti dei nostri sensi e di quanto possano aumentare?

Conosciamo molto poco e in più viviamo al di sotto delle nostre possibilità. Più conosceremo il nostro mondo interiore e più riusciremo a entrarci; più ci familiarizzeremo con il nostro mondo interiore, più la nostra energia vitale si svilupperà e la nostra anima si cristallizzerà.

La seconda chiave da ricordare è che non dovete reprimere nessuna delle vostre energie: dovete conoscerle e comprenderle, osservarle e scrutarle in profondità. Da tutto questo ricaverete un'esperienza davvero sorprendente: se cerchi di osservare la tua collera, se resti seduto in silenzio e l'osservi in profondità, scompare. Se osservi la tua collera, si dissolve. Quando nella tua mente sorge sessualità, se continui a osservarla, scoprirai che scompare. Scoprirai che questa sessualità sgorga dall'inconsapevolezza e che scompare, se osservata.

Allora comprenderai di aver scoperto un metodo stupefacente: la collera, la sessualità e l'avidità hanno potere su te solo nell'inconsapevolezza. Osservandole, portando su di esse la tua consapevolezza, scompaiono.

Avevo un amico incline alla collera. Mi disse: «La mia tendenza ad andare in collera e la mia incapacità di controllarla mi disturbano molto. Insegnami un metodo per controllarla, senza che debba compiere alcuna azione, poiché in pratica mi sono arreso: non penso di poter *fare* qualcosa. Non penso di poterne uscire con i miei sforzi».

Gli diedi un foglio sul quale erano scritte le parole: «Ora sto andando in collera». Gli dissi: «Tieni in tasca questo foglio e ogni volta che ti sentirai in collera, prendilo, leggilo e poi rimettilo in tasca». E gli spiegai: «Devi fare almeno questo, è il minimo; meno di così è impossibile. Leggi dunque questo foglio e poi rimettilo in tasca». Rispose che avrebbe fatto quel tentativo.

Dopo due o tre mesi, quando lo incontrai di nuovo, gli chiesi: «Allora, che cos'è accaduto?».

Rispose: «Sono sorpreso. Questo foglio ha funzionato come un mantra. Ogni volta che mi sento in collera, lo tolgo dalla tasca. Nell'istante in cui lo prendo, sento che le mani e i piedi si intorpidiscono. Come infilo la mano in tasca mi accorgo di sentirmi in collera, ma poi qualcosa si allenta dentro di me; la presa che la collera aveva su di me scompare all'improvviso. Come infilo la mano in tasca, la presa si allenta e non ho neppure bisogno di leggere il foglio. Quando mi sento in collera, comincio a visualizzare il foglio nella mia tasca». E mi chiese: «Come mai questo foglio produce un tale effetto su di me? Qual è il segreto?». Gli spiegai: «Non c'è alcun segreto. È molto semplice: ogni volta che sei inconsapevole, le perversioni, gli squilibri e il caos si impossessano di te. Ma quando diventi consapevole, tutto ciò scompare».

Perciò mediante l'osservazione otterrai due risultati: primo, si svilupperà la conoscenza delle tue energie e conoscendole riuscirai a padroneggiarle; secondo, diminuirà sempre di più la presa che queste energie hanno su di te. A poco a poco, scoprirai che all'inizio *prima* arriva la collera e *poi* tu la osservi; dopo un po' di tempo scoprirai gradualmente che, nello stesso istante in cui sopraggiunge la collera tu cominci a osservarla. Alla fine scoprirai che quando la collera sta per arrivare, la tua consapevolezza è già presente; da quel momento, la collera non avrà più alcuna possibilità di fare presa su di te.

Essere consapevole delle cose prima che queste accadano ha un valore. Dispiacerti, dopo che sono accadute, non ha alcun valore, perché accade solo a posteriori, quando non puoi fare più niente. Piangere e lamentarti a posteriori è inutile, poiché è impossibile non fare accadere qualcosa che è già accaduto. Non hai alcuna possibilità di tornare indietro; non c'è modo, non c'è alcuna porta. Ma puoi cambiare qualsiasi cosa che non sia ancora accaduta. Sentirti spiacente significa semplicemente sperimentare dolore, dopo che qualcosa è già accaduto. Non ha senso ed è assolutamente stupido. Sei andato in collera, è stato un errore e ora ti dispiace: questo è un altro errore. Ti senti turbato senza motivo; il tuo turbamento non ha alcun valore. Ciò di cui hai bisogno è una consapevolezza a priori; tale consapevolezza si svilupperà in te a poco a poco, man mano che osserverai tutte le emozioni del cuore.

La seconda chiave è osservare e non reprimere.

E la terza chiave è la trasformazione.

Ogni qualità del cuore può essere trasformata. Ogni cosa ha molte forme, tutto può cambiare nella forma opposta. Non esiste alcuna qualità o alcuna energia che non possa essere mutata in bene, in benedizione. E ricorda: ciò che può diventare un male, può sempre diventare un bene; ciò che può diventare nocivo, può sempre diventare benefico. Benefico e nocivo, buono e cattivo sono solo direzioni diverse. Il segreto sta tutto nella trasformazione: cambiando la direzione, le cose diventano diverse.

Un uomo stava correndo su una strada, in direzione opposta a Delhi. Si fermò e chiese a qualcuno: «Quanto sono lontano da Delhi?».

L'altro gli rispose: «Se continui a correre nella direzione in cui stai andando, dovrai fare il giro del mondo prima di raggiungere Delhi, perché in questo momento ti stai allontanando di corsa dalla città! Comunque, se fai dietrofront, Delhi è la città più vicina. Devi solo voltarti!».

Proseguendo nella direzione in cui stava correndo, quell'uomo avrebbe impiegato tempi lunghissimi per raggiungere Delhi ma, se avesse fatto un giro su se stesso di centottanta gradi, si sarebbe trovato alle porte della città!

Se continuate a proseguire nella direzione in cui state andando, non arriverete in alcun posto. Neppure se farete il giro del mondo arriverete da qualche parte; perché la Terra è piccola e la mente è vasta: un uomo potrebbe anche fare il giro del mondo, ma non potrebbe mai fare il giro completo della sua mente, poiché è sconfinata, infinita. Tu potresti fare il giro completo della Terra – quell'uomo potrebbe tornare a Delhi, facendolo – ma la mente è molto più vasta della Terra e compiere il giro completo della mente sarebbe un viaggio senza fine. Perciò il terzo punto che devi ricordare è questa intuizione: devi ruotare su te stesso di centottanta gradi, cioè operare un completo cambiamento di direzione.

La direzione in cui stai andando ora è sbagliata. Che cosa lo dimostra? La prova che qualcosa non funziona consiste in questo: più procedi e più diventi vuoto, più procedi e più diventi triste, più procedi e più diventi irrequieto, più procedi e più ti riempi di oscurità. Se questa è la situazione, stai andando nella direzione sbagliata.

La beatitudine è l'unico criterio per valutare la qualità della vita. Se la tua vita non è beata, sappi che stai andando nella direzione sbagliata. La sofferenza è il criterio per stabilire se sbagli e la beatitudine è il criterio per stabilire se sei nel giusto; non esistono altri criteri. Non hai bisogno di consultare le sacre scritture né di interrogare un guru. Ciò di cui hai bisogno è vedere se in te la beatitudine aumenta, se penetra in te sempre più in profondità. Se ti accade, stai andando nella direzione giusta. Se in te aumentano la sofferenza, il dolore e l'angoscia, stai andando nella direzione sbagliata Il problema non è credere in qualcun altro; devi solo guardare ogni giorno nella tua vita per vedere se stai diventando più triste oppure più beato. Se ti poni questa domanda, non avrai difficoltà nel risponderti.

Le persone anziane raccontano che nella loro infanzia erano gioiose. Che cosa significa? Che la loro crescita è stata in qualche modo sbagliata? L'infanzia, il tempo della gioia, era l'inizio della loro vita e ora la loro fine è triste... in questo caso, la loro vita si è sviluppata nella direzione sbagliata. Sarebbe dovuto accadere il contrario: la gioia dell'infanzia avrebbe dovuto continuare a crescere con lo sviluppo dell'uomo, giorno dopo giorno. In questo caso, nella vecchiaia, l'uomo avrebbe detto che la sua infanzia è stato il periodo più doloroso perché era l'inizio della vita, era solo il primo stadio.

Se uno studente che frequenta l'università dopo un po' dichiara che a poco a poco sta perdendo la cultura che aveva prima di entrarci, gli chiederemmo: «Ma non stai imparando? Non stai acquisendo un sapere? È davvero strano!». Avremmo potuto capire se avesse detto che all'inizio dei suoi studi era più ignorante. Dopo aver studiato per qualche anno, naturalmente uno studente dovrebbe sapere di più, non di meno. La sua dichiarazione, che ora il suo sapere è diminuito, sarebbe davvero strana!

Le persone raccontano sempre che nella loro infanzia erano molto più gioiose. I poeti scrivono poemi sull'infanzia beata. Devono essere pazzi. Se la vostra infanzia era beata e ora siete tristi significa che avete sciupato la vita. Sarebbe stato meglio per voi morire quando eravate bambini, almeno sareste morti beati! Ora morirete infelici, tristi. In questo caso, colui che muore nell'infanzia è fortunato.

Più a lungo vive una persona più dovrebbe aumentare la sua gioia, invece la vostra gioia diminuisce. I poeti non scrivono cose sbagliate; condividono le loro esperienze di vita. Sono veritieri. La vostra gioia continua a diminuire. Giorno dopo giorno, ogni cosa diminuisce in voi, laddove in realtà dovrebbe aumentare. Perciò la vostra crescita avviene nella direzione sbagliata.

È sbagliata la direzione della vostra vita, ed è sbagliata la vostra energia. Dovreste essere costantemente vigili, costantemente alla ricerca e dovreste avere stampati nella mente in modo chiaro i criteri di valutazione. Se vi sono ben chiari quei criteri, e se vedete che state andando nella direzione sbagliata, nessuno all'infuori di voi stessi vi impedisce di cambiare e di andare nella direzione giusta.

Una sera, due monaci rientrarono nella loro capanna. Erano stati in viaggio quattro mesi ma ora, poiché iniziava la stagione delle piogge, erano tornati alla loro capanna. Giunti nei pressi, il monaco più giovane, che camminava davanti, improvvisamente si sentì invadere dalla collera e dalla tristezza: i venti di un uragano avevano scoperchiato metà della capanna; solo metà del tetto era rimasto in piedi. Tornavano dopo quattro mesi, con la speranza di potersi riposare, al riparo dalle piogge, ma ora sarebbe stato difficile farlo. Metà della capanna era crollata e metà del tetto era stato spazzato via.

Il monaco giovane esplose, e disse al suo anziano compagno: «È troppo! Ci sono cose che creano in me il dubbio sull'esistenza di Dio. I peccatori possiedono palazzi in città e a loro non è accaduto niente; invece è caduta in rovina la capanna di due poveretti come noi, che passano il giorno e la notte pregando. Dubito che Dio esista! Le nostre preghiere servono, oppure stiamo sbagliando? Forse è meglio peccare, visto che i palazzi dei peccatori sono indenni e la nostra capanna, di due persone che pregano, è stata spazzata via dalla tempesta».

Il giovane monaco era pieno di collera e di biasimo, sentiva che le sue preghiere erano inutili. Ma il suo anziano compagno congiunse le mani, elevandole al cielo, mentre lacrime di gioia rigavano le sue guance.

Il giovane monaco era sorpreso e gli chiese: «Che cosa fai?».

Il monaco anziano spiegò: «Ringrazio Dio, perché chissà che cosa avrebbe potuto fare il vento? Avrebbe potuto portarsi via l'intera capanna, ma Dio deve averlo ostacolato in qualche modo, per salvare così almeno metà della nostra capanna. Dio si occupa anche di noi, povera gente, perciò dovremmo ringraziarlo. Ha udito le nostre preghiere; le nostre preghiere non sono state inutili, altrimenti l'uragano si sarebbe potuto portare via l'intero tetto della capanna».

Quella notte entrambi i monaci dormirono ma, come potete immaginare dormirono in modo diverso. Il giovane, che era pieno di collera e di rabbia e pensava che le sue preghiere fossero inutili, continuò a rivoltarsi tutta la notte perché nella sua mente scorrazzavano incubi e preoccupazioni. Era roso dall'ansia. Il cielo era coperto di nuvole, tra poco sarebbe arrivata la pioggia... Una metà del tetto era volata via con il vento, quindi i due monaci potevano vedere il cielo. L'indomani sarebbero iniziate le piogge, che cosa sarebbe accaduto?

Il monaco anziano dormì un sonno profondo. Chi potrebbe dormire tanto pacificamente, se non colui che si sente colmo di gratitudine e di riconoscenza? Il mattino successivo si alzò e cominciò a danzare e a cantare. Il suo canto diceva: «Oh Signore, noi non sapevamo che ci potesse essere tanta beatitudine in una capanna crollata! Se l'avessimo saputo prima, non avremmo neppure atteso l'opera dei tuoi venti: avremmo abbattuto noi stessi metà del tetto. Non avevo mai dormito un sonno tanto beato. Poiché una metà del tetto non c'è più, ogni volta che aprivo gli occhi nella notte potevo vedere le stelle e le nubi che si radunavano nel tuo cielo. E ora che stanno per iniziare le piogge, sarà ancora più bello perché, mancando metà del tetto, potrò udire più chiaramente la musica delle tue gocce di pioggia. Siamo stati stolti! Abbiamo trascorso tante stagioni delle piogge, al riparo nella capanna. Non avevamo idea di quale gioia può nascere dal vivere a cielo aperto, esposti al vento e alla pioggia. Se l'avessimo compreso, non avremmo atteso l'opera dei tuoi venti; avremmo abbattuto noi stessi metà del tetto».

Il giovane monaco esclamò: «Che cosa odono le mie orecchie? Che cosa sono tutte queste assurdità? Che cos'è questa follia? Che cosa stai dicendo?».

Il monaco anziano rispose: «Ho osservato le cose in profondità: la mia esperienza mi dice che qualsiasi cosa ci renda più felici è la giusta direzione per noi nella vita e qualsiasi cosa ci fa soffrire è invece la direzione sbagliata. Io ho ringraziato Dio e in me è aumentata la beatitudine. Tu sei andato in collera con Dio e in te è aumentata l'angoscia. La notte scorsa, tu eri irrequieto e io ho dormito pacificamente. Ora io sono in grado di cantare e in te brucia la collera. Io ho compreso in modo chiarissimo che nella vita la direzione che ci porta a essere più beati è la direzione giusta, quindi ho focalizzato tutta la mia consapevolezza in questa direzione. Non so se Dio esiste oppure no. Non so neppure se qualcuno ascolta le nostre preghiere; ma la prova valida per me è che io sono felice e danzo e tu invece piangi, sei in collera e sei preoccupato. La mia beatitudine prova che il mio modo di vivere è giusto e la tua angoscia prova che il tuo modo di vivere è sbagliato».

Il terzo punto è esaminare continuamente in quale direzione devi andare per aumentare la tua gioia. Non devi chiederlo agli altri. Puoi usare questo criterio ogni giorno per tutta la tua vita. Il criterio è la beatitudine. Assomiglia al criterio in uso per analizzare l'oro, lo si strofina su una pietra di paragone: l'orefice scarta tutto ciò che non risulta puro e valorizza solo l'oro puro. Continua a esaminarti ogni giorno, usando il criterio della beatitudine: osserva ciò che è giusto e ciò che è sbagliato. Puoi gettare via tutto ciò che è sbagliato e qualsiasi cosa giusta si accumulerà in te piano piano, come un tesoro.

Queste sono le tre chiavi, per questa mattina. Questa sera ne parleremo ancora.

Ora ci metteremo seduti per la meditazione del mattino. È meglio che manteniate una certa distanza l'uno dall'altro. Nessuno deve toccare l'altro. Dovete comprendere due cose: le spiego di nuovo perché, forse, qualche amico è appena arrivato. Ciò che stiamo per fare è una cosa molto semplice e facile, ma spesso accade che le cose semplici sembrino molto difficili, perché non avete l'abitudine di fare cose semplici. Voi avete l'abitudine di fare le cose difficili, non quelle semplici.

Innanzitutto, è davvero facile e semplice permettere al vostro corpo di rimanere totalmente rilassato e in silenzio, per un certo periodo di tempo. Chiudete dolcemente gli occhi e rimanete seduti, senza fare niente. Poi, ascoltate in silenzio i suoni che accadono intorno a voi, ascoltate e basta. Semplicemente ascoltando create in voi un silenzio e una profondità.

La parola che usano in Giappone, per definire la meditazione, è molto interessante. La chiamano *zazen*. *Zazen* significa: stare seduto senza fare niente. Significa solo questo: stare seduto senza fare niente. È una parola colma di significato.

Dunque, rimanete seduti, senza fare niente. Gli occhi sono chiusi, le orecchie sono aperte, affinché possano ascoltare. Continuate ad ascoltare in silenzio... continuate ad ascoltare in profondo silenzio. Mentre ascoltate, scoprirete che un silenzio profondo e un vuoto sorgono in voi. Dovete andare in profondità in questo vuoto, sempre più in profondità, e ancora più in profondità. È andando oltre la porta di questo vuoto che, un giorno, realizzerete il Tutto.

Andando oltre la porta di questo vuoto raggiungerete il Tutto. Così, diventando sempre più silenziosi, ascoltando gli uccelli e tutti i suoni intorno a voi, un giorno comincerete a udire il suono del vostro essere interiore. Quindi ascoltiamo in silenzio.

Per prima cosa, rilassate totalmente il corpo. Poi chiudete gli occhi piano piano, dolcemente. Lasciate cadere le palpebre piano piano, in modo da non generare tensione negli occhi. Chiudete gli occhi e rilassate il corpo. Rimanete seduti in assoluto silenzio... siamo seduti in silenzio, senza fare nulla. Tutt'intorno gli uccelli cinguettano: ascoltateli in silenzio. Rimanete in ascolto di qualsiasi suono intorno a voi. Rimanete in ascolto e non fate niente. Piano piano qualcosa in voi diventa silenziosa, qualcosa si acquieta. Ascoltate semplicemente... e in voi dilagherà il silenzio. Per dieci minuti, ascoltate in silenzio. Ascoltate, totalmente rilassati. Ascoltate... la mente è diventata silenziosa, la mente è diventata assolutamente silenziosa, la mente è diventata silenziosa, la mente è diventata totale silenzio. In profondo silenzio... ascoltate ogni suono. Gli uccelli cantano... ascoltate...

*Ottavo discorso*

# L'amore non ha io

Amici carissimi,

questo è l'ultimo incontro del nostro Campo di Meditazione e questa sera voglio parlarvi di alcune ultime chiavi.

Nella mente dell'uomo esiste una forte tensione che ha in pratica raggiunto il livello della follia. È necessario rilassare questa tensione. Nel contempo, nel cuore dell'uomo esiste molta lassezza; le corde della vina del cuore sono allentate: dovete renderle più tese. Questa mattina vi ho spiegato alcune chiavi per tendere le corde del cuore. Ora vi parlerò dell'ultima.

Dalla vina della vita, quando le sue corde sono accordate, sgorga la musica più eccelsa che possa echeggiare nel cuore dell'uomo. Una società che ha perso il proprio cuore, un'epoca o una tradizione in cui si siano indeboliti tutti i valori del cuore ha perso tutto ciò che è buono, vero e bello. Se vogliamo che la bontà, la verità e la bellezza entrino nella nostra vita, non c'è un altro modo: dobbiamo accordare le corde del nostro cuore.

L'amore è il modo per accordare queste corde, per riportarle alla giusta tensione affinché la musica possa nascere. Ecco perché io chiamo l'amore "preghiera", perché lo definisco la Via che conduce al divino e chiamo l'amore "il divino". La preghiera senza amore è falsa, vuota e insignificante. Senza amore le parole della preghiera non hanno alcun valore. Senza amore, nessuna persona interessata a intraprendere il viaggio verso il divino riuscirà mai a raggiungere la realizzazione suprema. L'amore è il modo per far cantare la vina del cuore. Dovete comprendere alcune cose sull'amore in quanto tale.

La vostra illusione primaria è credere di sapere che cosa sia l'amore. Questa illusione è fortemente dannosa, infatti non farete mai alcuno sforzo per raggiungere o risvegliare qualcosa che pensate già di conoscere.

Ma voi non siete affatto consapevoli che, se qualcuno conosce l'amore, acquisisce simultaneamente la capacità di conoscere il divino. Se conoscete l'amore, non vi rimane altro da conoscere nella vita; ma così come siete, voi non conoscete niente: dovete ancora conoscere tutto.

Quindi, ciò che pensate sia amore, probabilmente non lo è. Avete chiamato "amore" qualcos'altro e fino a quando avrete questa illusione, finché avrete l'idea di conoscere tutto sull'amore, come potrete ricercare e investigare per trovarlo? La prima cosa che dovete comprendere è che non conoscete affatto l'amore.

In un pomeriggio afoso, Gesù sostò in un giardino sotto un albero. Faceva molto caldo, era stanco, perciò si addormentò all'ombra di quell'albero. Non sapeva neppure a chi appartenessero la casa, il giardino e l'albero: appartenevano a Maddalena, una bellissima prostituta di quei tempi.

Maddalena si affacciò alla finestra e vide quell'uomo bellissimo che dormiva sotto l'albero. Non aveva mai visto un uomo così bello. Proprio come esiste la bellezza fisica, esiste la bellezza dell'anima. Puoi vedere spesso la bellezza fisica, raramente quella dell'anima; ma quando appare, anche il corpo più sgraziato diventa il fiore più bello. Maddalena aveva visto molti uomini belli, perché alla sua porta sostava in continuazione una folla, a volte le era difficile perfino entrare in casa. Si diresse dunque verso quell'albero, come attratta da un magnete.

Gesù si stava alzando per andarsene, si era riposato a sufficienza. Maddalena gli chiese: «Vorresti farmi l'onore di entrare nella mia casa a riposarti?».

Gesù rispose: «Ho appena finito di riposare e quest'albero è tuo. È tempo che mi rimetta in cammino. Ma se mi accadrà di ripassare in futuro e se mi sentirò di nuovo stanco, mi riposerò certamente nella tua casa».

Maddalena si sentì offesa. Aveva scacciato dalla sua porta grandi principi e ora che invitava un mendicante a riposare in casa sua, questi rifiutava; era un'offesa dei suoi sentimenti, perciò gli disse: «No, non voglio sentire questo rifiuto. Tu devi entrare nella mia casa, non vuoi fare almeno questo per mostrarmi il tuo amore? Non vuoi venire a riposare nella mia casa per un po'?».

Gesù rispose: «Con il tuo invito, io sono già entrato nella tua casa, poiché dov'è la tua casa se non nei sentimenti del tuo cuore? Ma le tue parole mi portano a dirti che devi aver incontrato molti uomini che ti hanno detto: "Ti amo", ma nessuno di loro ti amava; nel loro intimo amavano qualcos'altro. Io posso assicurarti che in realtà sono una delle poche persone che possono amarti e che ti amano; poiché può amare solo colui nel cui cuore sia sorto l'amore».

Nessuno di voi può amare, perché in voi non c'è alcun flusso d'amore. Quando dite a qualcuno: «Ti amo», di fatto non date amore, lo chiedete. Ciascuno di voi chiede amore; ma se lo stai chiedendo, come puoi darlo? Un mendicante come può essere un imperatore? Colui che sta chiedendo amore come può donarlo?

Tutti vi chiedete amore a vicenda. Il vostro essere è un mendicante che chiede a qualcun altro di amarlo. La moglie chiede al marito di amarla e il marito lo chiede alla moglie, la madre chiede al figlio di amarla e il figlio lo chiede alla madre, gli amici chiedono agli amici di amarli. Tutti vi chiedete vicendevolmente amore, senza comprendere che proprio l'amico, cui lo chiedete, vi sta chiedendo amore. Siete come due mendicanti che, in piedi uno di fronte all'altro, si tendono la ciotola dell'elemosina a vicenda.

Fino a quando chiederai amore, non sarai in grado di darlo: proprio la tua richiesta dimostra che in te non c'è alcuna sorgente d'amore. Altrimenti, che bisogno avresti di chiederlo all'esterno? Può dare amore solo colui che si è elevato al di sopra del bisogno di essere amato. L'amore è una condivisione, non un mendicare. L'amore è un imperatore, non è un mendicante. L'amore conosce solo il verbo dare, non conosce affatto il verbo chiedere.

Conosci l'amore? L'amore che viene chiesto non può essere amore. E ricorda: colui che chiede amore non l'otterrà mai in questo mondo. Questa è una delle leggi essenziali ed eterne della vita: colui che chiede amore non l'otterrà mai e poi mai.

L'amore si presenta solo alla soglia di una casa da cui sia scomparso il desiderio di essere amato. L'amore comincia a inondare la casa di chi ha smesso di chiedere amore.

Ma nessuna pioggia cade sulla casa di colui che sta anelando a ricevere amore, l'amore non fluisce verso un cuore che spasima per ricevere amore. Un cuore simile non ha il tipo di ricettività che permette all'amore di entrare. Solo un cuore pronto a condividere, a dare, ha la ricettività che permette all'amore di presentarsi alla sua porta dicendo: «Apri, sono arrivato!».

L'amore ha bussato qualche volta alla vostra porta? No, perché finora non siete mai stati in grado di dare amore. Ricordate anche questo: qualsiasi cosa date agli altri la riceverete di rimando. È una delle leggi eterne della vita: qualsiasi cosa noi diamo agli altri la riceveremo di rimando.

Il mondo intero non è altro che un'eco: tu dai odio e riceverai odio di rimando, dai collera e riceverai collera, insulti e riceverai insulti, semini spine e riceverai spine. Qualsiasi cosa avrai dato agli altri la riceverai di rimando, ritornerà a te in mille e un modo. Se condividi l'amore, l'amore ritornerà a te in mille modi. Se non ti è ritornato in mille e un modo, sappi che il motivo è questo: non hai mai dato amore.

Ma come potresti? Tu non hai amore da dare. Se avessi in te l'amore, perché mai andresti di porta in porta a chiederlo? Perché mai diventeresti un mendicante che gira di luogo in luogo? Perché mai elemosineresti l'amore?

Un tempo viveva un mistico di nome Farid. Gli abitanti della sua città gli chiesero: «Farid, l'imperatore Akbar ha per te un grande rispetto, chiedigli di aprire una scuola in questa città».

Farid rispose: «Non ho mai chiesto niente a nessuno. Sono un mistico: conosco solo il verbo dare».

Gli abitanti della sua città rimasero perplessi: «Pensavamo che un mistico chiedesse sempre, mentre tu dici che un mistico conosce solo il verbo dare. Non comprendiamo queste sottigliezze. Per favore, sii cortese, chiedi all'imperatore di aprire una scuola nella nostra città».

E insistettero al punto che, il giorno dopo all'alba, Farid si recò da Akbar. Akbar era in preghiera nella moschea e Farid si fermò in piedi, dietro di lui. Akbar, alla fine delle sue preghiere, levò le braccia al cielo gridando: «Oh Dio! Aumenta la mia ricchezza, aumenta il mio tesoro, espandi il mio regno!».

Sentendo queste parole, Farid si girò per andare via. Quando si voltò, Akbar vide Farid che si stava allontanando. Lo rincorse, lo fermò e gli chiese: «Perché sei venuto e perché ora te ne stai andando?».

Farid gli rispose: «Pensavo che tu fossi un imperatore, invece ho scoperto che anche tu sei un mendicante. Pensavo di chiederti una scuola per la nostra città, non sapevo che anche tu chiedi a Dio più ricchezze. Non mi sembra giusto chiedere qualcosa a un mendicante. Pensavo che tu fossi un imperatore e invece constato che anche tu sei un mendicante, dunque me ne vado».

Siete tutti mendicanti, e continuate a chiedere ad altri mendicanti qualcosa che non hanno. E quando non ottenete l'amore, vi rattristate, piangete e vi lamentate perché sentite che nessuno vi ama.

L'amore non è qualcosa che puoi ottenere dall'esterno: è la musica del tuo essere interiore. Nessuno può darti l'amore; può scaturire in te, non puoi ottenerlo dall'esterno. Non esiste un negozio, né un mercato, né un venditore dove tu possa acquistare l'amore: non è in vendita, a nessun prezzo.

L'amore è una fioritura interiore: sgorga da qualche energia interiore addormentata. Tuttavia noi tutti cerchiamo l'amore all'esterno. Noi tutti cerchiamo l'amore nell'amato: è la cosa più sbagliata e più inutile che possiamo fare.

Cerca l'amore dentro di te. Non riesci neppure a immaginare che in te possa esserci amore; poiché voi tutti associate sempre l'amore all'idea dell'amato o dell'amata. Si crede che l'amore provenga da qualcuno al di fuori di noi. E poiché nessuno ricorda in che modo l'amore può affiorare all'interno, l'energia dell'amore rimane addormentata. Non ti rendi conto che stai chiedendo sempre all'esterno qualcosa che è già presente in te. E poiché chiedi sempre l'amore all'esterno, non guardi dentro di te; di conseguenza, in te non sorge mai ciò che sarebbe potuto affiorare.

L'amore è il tesoro essenziale che ogni individuo ha in sé dalla nascita. L'uomo non nasce con il denaro: è qualcosa che si accumula nella società. L'uomo invece nasce con l'amore; è il suo diritto per nascita, è la sua ricchezza individuale, esiste in lui. È un compagno che gli è stato dato alla nascita e che lo accompagnerà per tutta la vita. Ma pochissimi sono abbastanza fortunati da riuscire a guardarsi dentro e vedere dove sta l'amore, come può essere scoperto e sviluppato. Pertanto, qualcosa vi accompagna dalla nascita, ma quella ricchezza rimane inesplorata. Di fatto non l'avete mai esplorata e continuate a elemosinare l'amore alle porte altrui, protendendo le mani perché volete amore.

Nel mondo intero esiste un solo desiderio: avere amore. Nel mondo intero esiste un solo lamento: non ho amore. E dai la colpa agli altri, li accusi di non darti amore! La moglie dice al marito: «In te qualcosa non funziona, ecco perché io non ricevo amore». Il marito dice alla moglie: «In te qualcosa non funziona, ecco perché io non ricevo amore». Nessuno si è mai chiesto se sia mai stato possibile ricevere amore dall'esterno.

L'amore è un tesoro interiore; l'amore in quanto tale è la musica della vina del cuore.

La vina del cuore dell'uomo si è guastata; da essa non sgorga la musica per la quale era stata creata. In che modo potrebbe sgorgare questa musica? Qual è l'ostacolo che ne impedisce la creazione? Qual è l'ostacolo che ne impedisce la nascita? Non avete mai riflettuto su questo ostacolo? Non avete mai considerato quale potrebbe essere?

Un giorno morì un attore, era anche un buon drammaturgo e un poeta. Alla sua cremazione parteciparono molte persone; era presente anche il direttore della compagnia cinematografica per la quale l'attore aveva lavorato. Fu lui a fare un breve discorso commemorativo.

Disse: «Io ho fatto di quest'uomo un attore. Sono io che l'ho tolto dall'anonimato, per farne una stella. Sono io che gli ho dato la sua prima parte in un film. Sono io che ho pubblicato il suo primo libro. Io sono la causa della sua fama che è dilagata nel mondo intero!».

Aveva detto tutto questo... io ero presente a quel funerale e forse anche qualcuno di voi era presente... il direttore aveva detto tutto questo, quando improvvisamente il cadavere che giaceva sulla pira si alzò ed esclamò: «Scusatemi, signore, chi sta per essere cremato, voi o io? Di chi state parlando?».

Il direttore aveva detto: «*Io* sono colui che lo ha reso famoso, *Io* sono colui che ha pubblicato il suo libro, *Io* sono colui che gli ha dato la sua prima parte in un film... Sono stato *Io*».

Perfino un cadavere non ha potuto sopportare il frastuono di questo io. Si alzò e disse: «Perdonatemi, ma per favore ditemi: chi sta per essere cremato, voi o io? Di chi state parlando?». Perfino un cadavere non ha potuto sopportare il frastuono dell'io; e ogni uomo continua a generarlo: come possono sopportarlo persone viventi?

In te, solo due voci sono possibili, ma non può esistere alcuna voce d'amore in colui che è colmo della voce dell'io; così come non può esserci posto per la voce dell'io, in colui che sia colmato dalla voce dell'amore. Entrambe queste voci non possono coesistere nella stessa persona: è impossibile; così come le tenebre e la luce non possono coesistere.

Una volta, le tenebre andarono da Dio e gli dissero: «Il Sole ci dà continuamente la caccia. Non ci dà un attimo di tregua, ci insegue dalla mattina alla sera, e alla sera siamo davvero stremate! E di notte, prima che il sonno e il riposo ci abbiano ristorato, di nuovo ricomincia a inseguirci. Non ci ricordiamo di avergli fatto qualcosa di male, non pensiamo di aver provocato la sua collera. Quindi, perché ci insegue? Perché ci strapazza continuamente? Che cosa gli abbiamo fatto di male?».

A questo punto Dio chiamò il Sole e gli chiese: «Perché dai la caccia a quelle povere tenebre? Continuano a scappare, a nascondersi, a cercare rifugio dovunque. Perché le insegui continuamente? Che bisogno hai di farlo?».

Il Sole rispose: «Chi sono queste tenebre? Non le ho mai incontrate. Chi sono queste tenebre? Che cosa sono le tenebre? Non le ho mai viste, né incontrate. Ma se ho commesso qualche errore senza saperlo, sono pronto a chiedere scusa. E, dopo averle conosciute, non le inseguirò mai più».

Si dice che da allora sono passati milioni e miliardi di anni e che il caso è ancora aperto, al tribunale di Dio. Ancora Dio non è riuscito a convocare insieme le tenebre e il Sole. E io vi dico che non potrà mai farlo, neppure in futuro, sebbene sia onnipotente. Neppure l'onnipotenza ha l'abilità di convocare le tenebre e il Sole contemporaneamente, poiché l'oscurità e la luce non possono coesistere.

C'è un motivo per cui non possono coesistere: le tenebre non hanno un'esistenza propria, perciò non possono esistere di fronte al Sole. Le tenebre sono solo "assenza di luce": come possono coesistere l'assenza e la presenza della stessa cosa? L'oscurità è solo assenza di luce; le tenebre in sé non sono niente, sono solo l'assenza del Sole: sono solo assenza di luce. Come può esistere l'assenza di luce? Come può coesistere con il Sole nello stesso luogo? Dio non riuscirà mai a farli incontrare.

Nello stesso modo, ego e amore non possono coesistere. L'ego assomiglia alle tenebre: è solo assenza d'amore, è la non-presenza dell'amore. In voi l'amore è assente, quindi la voce dell'io continua a echeggiare. E, con la voce dell'io, dite: «Voglio amare, voglio dare amore, voglio ricevere amore!». Siete impazziti? Non c'è mai stato alcun rapporto tra l'io e l'amore. Questo io continua a parlare d'amore e dice: «Voglio pregare, voglio raggiungere Dio, voglio essere liberato!».

È come se le tenebre dicessero: «Voglio abbracciare il Sole, voglio amare il Sole, voglio essere ospitato nella casa del Sole». È impossibile!

L'io è l'assenza dell'amore, l'io è la mancanza d'amore. Più rafforzi la voce del tuo io più diminuisce la possibilità di trovare l'amore in te. Dentro di te, più l'ego è presente e più l'amore è assente. Se il tuo ego diventa totale, in te l'amore muore totalmente.

In te non può esserci amore perché, se ti guardi dentro, scopri che la voce del tuo io continua a rumoreggiare, ventiquattr'ore su ventiquattro. Respiri con questo io, bevi con questo io, entri nel tempio con questo io. Che cos'altro esiste nella tua vita all'infuori di questo io?

I tuoi abiti sono gli abiti del tuo io, il tuo ruolo nella società è una posizione del tuo io, la tua cultura è la cultura del tuo io; le tue pratiche spirituali, il tuo aiutare gli altri, qualsiasi cosa tu abbia o eserciti, perfino la tua meditazione è la meditazione del tuo io. Facilmente in te affiora una sensazione fortissima: «*Io* sono un meditatore. *Io* non sono un semplice possidente, *Io* non sono una persona comune... *Io* sono un meditatore, *Io* sono una persona che aiuta gli altri, *Io* sono una persona colta, *Io* sono ricco, *Io* sono questo, *Io* sono quello...».

La casa che hai costruito intorno a questo tuo io non conoscerà mai l'amore. E in questo caso la musica, che potrebbe portare il tuo cuore al nucleo più intimo del tuo essere e che potrebbe metterlo in sintonia con le verità della vita, non scaturirà mai dalla vina del tuo cuore. Le tue porte non si apriranno, rimarranno chiuse per sempre.

Devi comprendere fino in fondo quanto è forte il tuo io e quanto sia profondo. E devi vedere con chiarezza se lo stai rafforzando, se lo stai rendendo più profondo; se continui ogni giorno a radicarlo sempre di più. Se tu stesso continui a rafforzarlo sempre di più, allora abbandona ogni speranza che in te affiori l'amore, o che il nodo serrato del tuo amore possa sciogliersi, o che tu possa riconoscere il tesoro dell'amore. Abbandona del tutto questa idea: non potrà mai accadere, è impossibile.

Perciò non vi dico di cominciare ad amare, il vostro ego potrebbe dire: «*Io* sono un amante e *Io* amo».

L'amore che sgorga dall'ego è assolutamente falso. Di conseguenza vi dico che tutto il vostro amore è falso, perché sgorga dall'ego ed è l'ombra dell'ego. E ricordate che l'amore che sgorga dall'ego è molto più nocivo dell'odio, perché l'odio è chiaro, diretto e semplice; ma l'amore che si presenta sotto un falso aspetto è difficilissimo da riconoscere.

Se sei amato da un amore che sgorga dall'ego, dopo un po' sentirai che sei trattenuto da catene di ferro, non da mani amorevoli. Dopo un po' capirai che quell'amore, che ti fa discorsi bellissimi e ti canta canzoni meravigliose, sta solo tentando di aprirsi una strada per iniettare in te un veleno potentissimo! E se l'amore che ti arriva è un'ombra dell'ego, malgrado abbia l'aspetto di fiori, toccandoli troverai solo spine, e ti pungerai.

I pescatori coprono l'amo con l'esca. L'ego vuole impadronirsi degli altri, vuole possederli e perciò si inietta profondamente in loro, mascherando il suo amo con l'amore. Perciò, molte persone finiscono addolorate e sofferenti, a causa delle loro illusioni sull'amore. Neppure all'inferno la gente soffrirebbe tanto! A causa di queste illusioni sull'amore, l'umanità intera soffre terribilmente, su tutta la Terra. Tuttavia ancora non capite che l'amore che sgorga dall'ego è falso. Ecco perché vi siete creati questo inferno.

L'amore al quale sia legato l'ego è una forma di gelosia; ecco perché nessuno è tanto geloso quanto gli amanti. L'amore al quale sia appiccicato l'ego è una cospirazione e un trucco per possedere l'altro. È una cospirazione: ecco perché nessuno è così soffocante come chi dice di amarti. Con il presunto amore frutto dell'ego, non può essere altrimenti; in realtà tra l'amore e l'ego non potrà mai esserci alcun rapporto.

Gialal al-Din Rumi era solito cantare un inno bellissimo, girando da una città all'altra. Quando la gente gli chiedeva di dire qualcosa su Dio, cantava quell'inno. Era un canto davvero meraviglioso.

Narrava di un innamorato che si recava a casa dell'amata e bussava alla sua porta; l'amata chiedeva: «Chi sei?».

L'innamorato rispondeva, come tutti gli amanti: «Io sono il tuo innamorato». Nella casa scendeva il silenzio. Non arrivava alcuna risposta e dall'interno non giungeva alcuna voce.

L'innamorato riprendeva a bussare alla porta con forza, ma sembrava che all'interno della casa non ci fosse nessuno. Allora cominciava a gridare: «Perché questo silenzio? Rispondimi! Io sono il tuo innamorato. Io sono arrivato». Ma più alzava la voce dicendo: «Io sono il tuo innamorato. Io sono arrivato», più la casa diventava silenziosa, sembrava una tomba. Dall'interno non arrivava alcuna risposta.

Allora l'innamorato cominciava a battere la testa contro la porta, implorando: «Rispondimi almeno una volta!».

E dall'interno arrivava finalmente una risposta: «In questa casa non c'è spazio per due. Tu dici: "Io sono il tuo innamorato, io sono arrivato", ma *io* sono già presente in questa casa e qui non c'è spazio per due. La porta dell'amore può aprirsi solo per coloro che hanno abbandonato l'io. Ora vattene! Ritorna un'altra volta».

L'innamorato se ne andava. Pregava e meditava per anni. Passavano molte Lune, molte albe e molti tramonti; trascorsero decenni, e alla fine l'innamorato tornava davanti a quella porta. Dopo aver bussato, di nuovo udiva la stessa domanda: «Chi sei?». Questa volta la risposta era: «Non c'è alcun io. Ci sei soltanto tu».

Gialal al-Din Rumi raccontava che, in quel momento, la porta si apriva.

Io non l'avrei aperta! Gialal al-Din Rumi morì molti anni fa, perciò non ho modo di dirgli che quello non era il momento giusto per aprire quella porta. Egli le permise di aprirsi troppo presto; infatti chi dice: «Ci sei soltanto tu» sperimenta se stesso ancora come un io. Solo chi non vive l'esperienza del "tu" non vive più l'esperienza di sé in quanto "io".

Pertanto, sebbene sia sbagliato affermare che l'amore possa contenere la dualità, è altrettanto sbagliato affermare che l'amore possa contenere solo l'uno. In amore, non esistono né la dualità né l'uno. Se rimane la sensazione dell'uno, sappi che anche l'altro è presente, poiché solo l'altro può essere consapevole dell'uno. Quando è presente il "tu", anche l'io è presente.

Quindi, io avrei respinto ancora l'innamorato. Disse: «Non c'è alcun io. Ci sei soltanto tu», ma chi parla così è *presente*, è totalmente *presente*. Aveva solo imparato un trucco. La prima volta aveva risposto: «Sono io» e la porta era rimasta chiusa; dopo anni di contemplazione, aveva deciso di dire: «Non c'è alcun io. Ci sei soltanto tu». Ma chi dava questa risposta? Perché parlava così? Chi conosce il "tu" conosce anche l'io.

Ricorda: il "tu" è l'ombra dell'io. Se in qualcuno è scomparso l'io non rimane neppure il "tu".

Perciò io avrei respinto quell'innamorato perché, la prima volta l'amata aveva risposto: «In questa casa non c'è spazio per due». L'uomo non aveva capito e in seguito si era messo a dire: «Dove sono questi due? Adesso non c'è alcun io. Ci sei soltanto tu».

Ma l'amata avrebbe dovuto dirgli ancora una volta di andarsene, perché aveva solo imparato un trucco: vedeva ancora due persone. L'amata avrebbe dovuto dirgli che, se non c'erano più due persone, egli non avrebbe neppure tentato di farsi aprire la porta; infatti, *chi* le stava chiedendo di aprirla? Secondo lui, *chi* avrebbe dovuto aprirla? In una casa che comunque contiene la dualità, non può esistere l'amore.

La mia versione è questa: l'innamorato se ne andò. Passarono gli anni, ma egli non ritornò. Non fece mai più ritorno. E a quel punto, l'amata andò a cercarlo.

Dunque, io affermo che il giorno in cui sparirà l'ombra del vostro io, non rimarrà né l'io, né il tu, e da quel giorno non dovrete più andare in cerca del divino: il divino verrà a cercarvi.

Nessun uomo può andare in cerca del divino, perché non ha la capacità di compiere una simile ricerca. Ma, se sei pronto a scomparire, se sei pronto a essere un nessuno, se sei pronto a diventare un vuoto, allora il divino ti troverà certamente. Solo il divino può cercare l'uomo, l'uomo non può andare in cerca del divino perché anche in questa ricerca sarebbe presente il suo ego: «Io vado alla ricerca del divino, io devo raggiungerlo. Io ho conquistato la ricchezza, io ho raggiunto una posizione in parlamento, io ho acquistato una casa sontuosa... adesso non mi rimane che l'ultima meta: io voglio raggiungere anche il divino. Come potrei trascurare il prestigio che deriva dalla realizzazione del divino? Quella sarà la mia vittoria finale. Devo ottenerla! Io *devo* raggiungere anche il divino». Questo è un proclama, una pretesa e una ricerca frutto dell'ego.

Perciò non è religiosa la persona che si mette alla ricerca del divino; lo è chi si mette alla ricerca del suo io; e più prosegue nella ricerca, più scopre che il suo io è assente. Il giorno in cui non rimarrà più nulla, quel giorno si aprirà in lui la porta che gli nascondeva l'amore.

Quindi, l'ultima cosa da ricordare è: cerca te stesso e non andare in cerca del divino.

Voi non sapete nulla di nulla sull'essere supremo. Non

andate in cerca del divino, perché non avete neppure la più pallida idea di che cosa sia. Come fareste a cercare qualcosa di cui non avete neppure la più pallida idea? Dove cerchereste qualcuno di cui non avete alcun indirizzo? Dove cerchereste qualcuno di cui non avete alcuna informazione? Dove cerchereste qualcuno che non ha un principio, né una fine e che non sapete neppure vagamente dove si trova? Impazzireste! Non sapreste neppure dove guardare!

Ma una cosa la conoscete: conoscete questo vostro io. Perciò, come prima cosa, dovete ricercare questo io: scoprire che cos'è, dove sta e chi è. E, nel corso della ricerca, scoprirete che questo io non esiste: era un vostro concetto, assolutamente falso. L'esistenza di un io era frutto della vostra immaginazione, era un'illusione che voi nutrivate.

Quando nasce un bambino, gli date un nome per comodità. Chiamate qualcuno Rama, qualcuno Krishna e qualcuno con qualche altro nome. Nessuno ha un nome, tutti i nomi sono dati per comodità. Tuttavia, man mano che gli anni passano, udendo ripetere il tuo nome continuamente, ti fai l'illusione che questo nome sia tuo e pensi: "Io sono Rama, io sono Krishna". E se qualcuno ti dice qualcosa di brutto su Rama, sei pronto a lottare con lui: ti ha offeso! Ma da dove proviene quel nome?

Nessuno nasce con un nome, tutti nascono senza nome. Ma il nome è un'utilità sociale: senza, le cose si complicherebbero molto. Quel nome serve agli altri per identificarti: è un'utilità sociale. D'altra parte, se parlassi di te stesso utilizzando quel nome, impersonalmente, di nuovo creeresti confusione: parli di te o di qualcun altro? Quindi, per evitare qualsiasi confusione, usi l'"io", quando ti riferisci a te, e il "tu" parlando di qualcun altro. Entrambi sono pronomi immaginari, ma sono utili socialmente; eppure voi tutti costruite la vostra vita intorno a questi due pronomi, malgrado siano solo due parole vuote. Non nascondono alcuna verità, alcuna sostanza: sono solo due etichette.

Questo malinteso è narrato in un libro... C'era una volta una bambina di nome Alice. Alice si ritrovò a girovagare in uno strano luogo, un Paese delle meraviglie. Quando arrivò di fronte alla regina del Paese delle meraviglie, la regina le chiese: «Hai incontrato qualcuno venendo qui?».

Alice rispose: «Nessuno!».

La regina pensò che Alice avesse incontrato qualcuno di nome Nessuno. Questa sua illusione fu rafforzata dall'arrivo di un messaggero, al quale la regina chiese se avesse incontrato qualcuno, e anche il messaggero rispose: «Nessuno».

La regina esclamò: «È molto strano!» e, pensando che una persona di nome Nessuno avesse incontrato sia Alice sia il messaggero, commentò: «Sembra che Nessuno cammini più lentamente di voi».

Questa frase ha due significati, uno è questo: nessuno cammina più lentamente del messaggero.

Questi si spaventò, perché un messaggero dovrebbe camminare molto in fretta. Perciò rispose: «No, nessuno cammina più in fretta di me!».

La regina di rimando: «È una situazione ben complessa. Tu dici che Nessuno cammina più in fretta di te. Ma se Nessuno camminasse più in fretta di te, dovrebbe essere arrivato prima di te, dovrebbe essere già arrivato!».

A quel punto il povero messaggero capì che si era verificato un malinteso, perciò disse: «Nessuno è nessuno!». Ma la regina replicò: «Lo so che Nessuno è Nessuno. Ma chi è? Dimmelo. Dovrebbe essere già arrivato! Dov'è?».

Lo stesso malinteso accade all'uomo a causa del linguaggio. Il nome di ciascuno di voi è Nessuno: nessun nome significa niente più di questo. L'intera idea dell'io non è altro che questo: un nessuno. Ma il linguaggio crea un malinteso, l'illusione che: «Io sono qualcuno, io ho un nome».

L'uomo muore e lascia il proprio nome inciso su delle pietre, con la speranza che possano essere eterne. Non sappiamo se potranno esserlo: tutta la sabbia che vediamo sulle spiagge un tempo formava delle pietre... prima o poi tutte le pietre diventeranno sabbia. Dunque, sia che tu scriva il tuo nome sulla sabbia, sia che tu lo scriva su una pietra, non fa alcuna differenza. Nell'infinita storia del mondo non c'è alcuna differenza tra la sabbia e le pietre. I bambini scrivono il loro nome sulla sabbia della spiaggia; forse pensano che domani i passanti potranno vederlo. Ma poi arrivano le onde, che lambiscono la sabbia, ripulendola. Gli adulti ridono: «Siete pazzi! Non ha senso scrivere i nomi sulla sabbia».

Ma gli adulti scrivono sulle pietre, senza rendersi conto che la sabbia un tempo era pietra. Non c'è differenza tra gli adulti e i bambini: in questi comportamenti sciocchi, dimostrano di avere la stessa età!

Un imperatore diventò un *chakravartin*. Accade raramente: il *chakravartin* è "il Signore di tutta la Terra". Un'antica leggenda narra che i *chakravartin* godono di un privilegio speciale, nessun altro uomo ce l'ha, né potrà mai averlo. Essi hanno la possibilità di incidere il loro nome sul monte Sumeru, la montagna che si trova in paradiso. Anche nell'infinità del tempo è raro che qualcuno diventi un *chakravartin*, quindi le firme sul monte Sumeru, la montagna eterna, sono fenomeni rari.

Quando quell'imperatore diventò un *chakravartin*, era

alle stelle dalla felicità: ora aveva il privilegio di incidere il proprio nome sul monte Sumeru. In pompa magna, seguito da un corteo spettacolare, raggiunse la porta del paradiso, preceduto da un esercito numeroso. Il guardiano del paradiso gli disse: «Sei arrivato? Tu puoi entrare, ma questa folla non può: tutti devono tornare alle loro case. Hai portato gli attrezzi per scolpire il tuo nome sulla roccia?».

L'imperatore rispose: «Li ho portati».

Il guardiano gli disse: «Il monte Sumeru è infinito, ma ci sono stati così tanti *chakravartin*, che ora non c'è più posto neanche per una firma. Perciò, prima di tutto, devi cancellare il nome di qualcun altro; dopo potrai scrivere il tuo nome. Lo vedrai tu stesso: non c'è più uno spazio libero, tutta la montagna è coperta di firme».

L'imperatore superò il cancello. La montagna era infinita. Le sue catene minori avrebbero potuto contenere numerose catene dell'Himalaya; tuttavia sulla sua superficie non c'era neppure un piccolo spazio libero su cui scrivere. Egli sapeva che qualcuno diventa un *chakravartin* solo dopo moltissimo tempo, ma non aveva pensato all'infinità di tempo trascorso e mai avrebbe immaginato che la montagna fosse così piena di firme, al punto da non avere più un solo spazio libero!

L'imperatore si rattristò profondamente, era sconvolto. Il guardiano gli disse: «Non rattristarti. Mio padre, suo padre e il padre di suo padre facevano tutti questo mestiere. Per generazioni, abbiamo saputo che chiunque voglia scrivere qui la sua firma deve prima crearsi uno spazio: nessuno ha mai trovato uno spazio libero».

Allora l'imperatore si voltò e disse: «Se una persona può firmare solo dopo aver cancellato il nome di qualcun altro, tutto questo è pura follia: io firmerò, me ne andrò e domani verrà qualcun altro che cancellerà la mia firma, per incidere la sua! E poiché questa montagna è sconfinata, e su di essa sono incisi un'infinità di nomi, chi li leggerà mai? Che senso avrebbe? Perdonami, stavo facendo un errore. Firmare non avrebbe alcun significato».

Le persone così intelligenti sono pochissime; le altre hanno scritto i loro nomi sui templi e sulle pietre. Fanno costruire monumenti e vi incidono i loro nomi; dimenticando di essere nate senza un nome e che nessun nome è il loro. Quindi da un lato quelle pietre sono sprecate, dall'altro faticano inutilmente: quando moriranno e daranno l'addio al mondo, se ne andranno senza un nome.

Voi non avete la proprietà esclusiva di un nome. Il vostro nome è un'illusione visibile dall'esterno e l'io è un'illusione visibile interiormente. L'io e il nome sono due facce della stessa moneta. Il nome è visibile dall'esterno, l'io dall'interno; fino a quando queste illusioni persisteranno, in voi non potrà aprirsi lo spazio dal quale scaturisce l'amore.

Perciò l'ultima cosa che voglio dirvi è questa: cercate più in profondità! Ciascuno di voi vada sul monte Sumeru e guardi quante firme vi sono state incise. Vuoi anche tu aggiungere il tuo nome, dopo aver ripulito uno spazio su quella superficie? Avvicinati un po' di più alle montagne e osserva come si sbriciolano lentamente, diventando sabbia. Osserva i bambini che scrivono i loro nomi sulla spiaggia. Guarda intorno a te, per vedere che cosa stiamo facendo tutti. È forse vero che sciupiamo la nostra vita, scrivendo i nostri nomi sulla sabbia? Se senti che è vero, va' ancora più in profondità: entra in questo tuo io e indaga. Un giorno scoprirai che l'io è nessuno: non c'è nessuno lì dentro. In te c'è il profondo silenzio e la pace, ma non c'è alcun io. Il giorno in cui saprai che in te non c'è alcun io, arriverai a conoscere il Tutto, ciò che esiste realmente: l'essere, l'esistenza, il divino.

Ecco perché io affermo che l'amore è la porta che conduce al divino e che l'ego è la porta che conduce all'ignoranza. L'amore è la porta che si apre sulla luce, e l'ego è la porta che si apre sulle tenebre

Dovevo dirvi quest'ultima cosa, prima di lasciarci. Esplorate l'amore partendo da questa prospettiva. Questa esplorazione comincerà dall'ego e terminerà nel raggiungimento dell'amore. Esplorate dunque in questa direzione: questa ombra dell'ego esiste realmente, ed esiste realmente questo io? Chi si incammina in questa esplorazione non solo non trova un io, ma raggiunge anche il divino. Chi resta legato al palo dell'io è incapace di intraprendere il viaggio nell'oceano del divino.

Questa era l'ultima cosa che volevo dirvi. Di fatto, questa è la prima e anche l'ultima cosa da dire.

Nella vita di una persona, l'io è la prima cosa ed è anche l'ultima. La persona rimane bloccata nelle esperienze dolorose dell'io e, solo dopo essersene liberata, raggiunge la beatitudine. Non esiste alcuna storia, alcun racconto all'infuori dell'io; non c'è alcun sogno all'infuori dell'io. Non c'è alcuna menzogna all'infuori dell'io.

Trova questo io, e per te si apriranno le porte della beatitudine. Se si frantumerà la roccia di questo tuo io, in te comincerà a fluire la sorgente dell'amore. Allora il tuo cuore si colmerà della musica dell'amore. Quando il tuo cuore sarà colmo d'amore, comincerà un nuovo viaggio che è difficile descrivere con le parole. Questo viaggio ti condurrà al centro stesso della vita.

Volevo dirvi queste cose, prima di lasciarci.

Ora ci metteremo seduti per la meditazione serale. Staremo seduti per dieci minuti nella meditazione serale e poi ci saluteremo. E io vi saluto con la speranza e la preghiera a Dio che ciascuno di voi sia benedetto al punto da raggiungere l'amore, che ciascuno di voi sia benedetto al punto da liberarsi dalla malattia dell'io e che ciascuno di voi sia benedetto al punto da scoprire ciò che è già presente in lui.

Un mendicante morì in una città grandissima... auguratevi di non fare la stessa morte di quel mendicante. Era morto dopo aver mendicato per quarant'anni, sempre nello stesso luogo. Aveva pensato che, chiedendo l'elemosina, sarebbe potuto diventare un imperatore; ma è possibile che qualcuno diventi un imperatore, mendicando? Più una persona mendica, più diventa mendicante.

Il giorno in cui aveva iniziato a chiedere l'elemosina era un piccolo mendicante, e il giorno in cui morì era un grande mendicante; ma non era diventato un imperatore. Morì. La gente del vicinato fece per lui le stesse cose che faceva per qualsiasi morto: portarono via il suo cadavere e lo bruciarono insieme agli stracci che aveva lasciato vicino a sé. Inoltre, quelle persone pensarono che quel mendicante aveva sporcato quel luogo, vivendoci sopra per quarant'anni, per cui decise di togliere un po' di quella terra, e di buttarla via.

Si misero dunque a scavare, e restarono esterrefatti! Se il mendicante fosse stato ancora vivo, sarebbe impazzito. Dopo aver scavato pochi metri, trovarono un tesoro immenso, sepolto proprio sotto il punto in cui quell'uomo era vissuto, mendicando.

Egli non sapeva che, se avesse scavato proprio lì dove stava seduto, sarebbe diventato un imperatore e non avrebbe più avuto bisogno di mendicare. Ma il pover'uomo come poteva saperlo? I suoi occhi guardavano all'esterno e le sue mani erano tese a elemosinare dagli altri; perciò era morto mendicando. Tutta la gente del vicinato si radunò, sconvolta: «Che ingenuo è stato quel mendicante! Non aveva capito che proprio sotto di lui era stato sepolto un tesoro inestimabile».

Anch'io andai a vedere, incontrai quelle persone e dissi loro: «Sciocchi! Non preoccupatevi del mendicante! Lasciate perdere i vostri giudizi su di lui! In questo momento dovreste scavare un po' della terra che sta sotto i vostri piedi... può darsi che altra gente riderà di voi, quando morirete».

Quando muore qualcuno, gli altri ridono di lui, dicendo che era un ingenuo e che nella sua vita non è riuscito a realizzare nulla. E non sanno che altra gente sta aspettando che ciascuno di loro muoia, per poter ridere di lui, dicendo che era un ingenuo e che nella sua vita non è riuscito a realizzare niente.

I vivi deridono i morti; ma se qualcuno riuscisse a ridere di se stesso, mentre è ancora vivo, la sua vita si trasformerebbe. Diventerebbe una persona diversa. Se, in questi tre giorni, durante questo Campo di Meditazione, vi siete ricordati di ridere di voi stessi, i vostri problemi sono finiti. Se riuscite a ricordarvi di scavare un po' della terra che sta sotto al luogo in cui state, i vostri problemi sono finiti. In questo caso, tutto ciò che ho detto darà i suoi frutti in voi.

Infine, prego soltanto che non moriate mendicanti, ma come imperatori. Io prego affinché non diate ai vostri vicini l'opportunità di ridere di voi. In questi tre giorni avete ascoltato i miei discorsi in assoluto silenzio e con profondo amore: ve ne sono grato e mi inchino al divino che è presente in ciascuno di voi. Vi prego di accogliere i miei saluti.

Ora ci metteremo seduti per la meditazione serale. Ciascuno di voi prenda un po' di spazio, in modo da potersi sdraiare. Questa è l'ultima meditazione, perciò fatene il miglior uso possibile. Ciascuno di voi deve lasciare una certa distanza tra sé e gli altri.

Non parlate. Nessuno deve parlare. Coloro che stanno seduti troppo vicini devono allontanarsi. Nessuno deve toccare qualcun altro: alzatevi e andate dove c'è spazio. Non parlate, perché ciò che stiamo facendo non ha niente a che fare con la parola. Qualcuno dovrebbe venire qui davanti, e voi tutti state attenti a non disturbare gli altri.

Innanzitutto sdraiatevi con il corpo completamente rilassato. Lasciate che sia totalmente sciolto e rilassato. Poi chiudete lentamente gli occhi. Chiudete gli occhi.

Avete chiuso gli occhi e avete rilassato completamente il corpo. Ora vi darò alcuni suggerimenti: continuate ad ascoltare, il vostro corpo e la vostra mente li seguiranno.

Sentite che il corpo sta diventando rilassato, il corpo si sta rilassando, il corpo diventa rilassato, sempre più rilassato. Sentite che il corpo si sta rilassando, permettete al corpo di rilassarsi totalmente... Sentite nella mente che il corpo è diventato totalmente rilassato, il corpo è ora totalmente rilassato...

Il respiro sta diventando silenzioso. Sentite nella mente che il respiro sta diventando silenzioso, il respiro sta diventando silenzioso... Il respiro è diventato silenzioso, il respiro è ora silenzioso...

Anche la mente sta diventando vuota. La mente sta diventando silenziosa. Sentite che la mente sta diventando silenziosa, la mente sta diventando sempre più silenziosa...

Ora, per dieci minuti, rimanete interiormente vigili e continuate ad ascoltare in silenzio tutti i suoni intorno a noi. Rimanete interiormente vigili, non addormentatevi.

Rimanete interiormente consapevoli. Rimanete interiormente vigili e continuate ad ascoltare in silenzio. Continuate ad ascoltare in silenzio. Continuate ad ascoltare il silenzio della notte e, mentre ascoltate, dilagherà in voi un vuoto profondo...

Ascoltate. Per dieci minuti, continuate ad ascoltare in silenzio, continuate ad ascoltare in silenzio. La mente sta diventando completamente vuota. La mente sta diventando vuota. La mente è diventata vuota. La mente è diventata vuota, la mente è vuota...

La mente è diventata totalmente vuota. La mente si sta svuotando ancora di più... è totalmente vuota. Affondate nel vuoto che vi circonda. La mente sta diventando vuota, la mente sta diventando vuota...

La mente sta diventando silenziosa. La mente sta diventando vuota. Affondate più in profondità. La mente sta diventando vuota, la mente è diventata totalmente vuota...

# Nota biografica

Osho (1931-1990) è un mistico contemporaneo che ha dedicato la vita al risveglio della consapevolezza. Oggi i suoi insegnamenti ispirano milioni di persone con le estrazioni sociali e le realtà esistenziali più diverse. Non si tratta di una semplice fascinazione superficiale: il suo aver accompagnato il dire con il fare, creando tanti metodi e tante tecniche con cui risvegliare e alimentare la fiamma della propria consapevolezza, rende il lavoro di Osho «un'utopia concreata e a portata di mano» (Wimbledon).

Le sue opere sono tradotte in più di cinquanta lingue e sono ormai acclamati bestseller in molti Paesi, tra cui l'Italia, dove sono dodici i titoli che hanno scalato le vette delle classifiche (gennaio 2008).

Si tratta di trascrizioni di discorsi spontanei tenuti nell'arco di trentacinque anni che coprono una gamma infinita di temi: dalla ricerca individuale della felicità alle tematiche più pressanti della nostra epoca nella sfera sociale, politica e religiosa. In pratica è una visione globale che propone al genere umano un destino diverso dalla lunga marcia della follia in cui si può riassumere il nostro passato.

# Nota biografica

Per un catalogo generale rivolgersi a:

Associazione Oshoba
Casella Postale 15
21049 Tradate (Varese)
tel. & fax: 0331.810.042
e-mail: oshoba@oshoba.it – Sito web: www.oshoba.it

A Pune, in India, è sempre più fiorente il Resort di meditazione che si ispira alla visione di Osho, tesa a creare un Uomo Nuovo, da lui definito "Zorba il Buddha", un essere che vive la propria vita con profonde radici nell'esistenza e ali maestose dispiegate nel cielo della consapevolezza.

Qui, ogni anno, giungono da tutto il mondo ricercatori del Vero consapevoli di trovare in questo habitat, immerso nella meditazione e nella concretezza della vita quotidiana, gli strumenti necessari per evolvere e apprendere l'arte di vivere in equilibrio e in pienezza tutte le dimensioni in cui la vita dell'essere umano si estende.

All'interno del Resort si trova la Osho Multiversity, una "multiuniversità dell'essere" che offre un'ampia gamma di corsi e programmi di crescita interiore.

Per informazioni e approfondimenti: www.osho.com

# Indice

MISTO

Carta
da fonti gestite in
maniera responsabile

FSC® C018290

How attached I am to my world - habits - culture

wildness - unprepared
scary and unknown

BAN THA LEN

AO THA LANE

JUNCTION

TALAO KAO i A

SRIPHANG NGA ROAD

Pink house

gold shop